S0-BHW-857

von der Fecht, Florian
  Argentina / Florian von der Fecht y Claudio Bertonatti - 1ª ed. - Vicente
López : Photo Design : Del Nuevo Extremo, 2007.
  224 p. : il. ; 24 x 25 cm.

  Edición bilingüe español inglés
  ISBN 978-987-99166-7-4

  1. Arte Fotográfico. 2. Argentina-Turismo. I. Bertonatti, Claudio II. Título
  CDD 770

Dirección editorial | General editor
Florian von der Fecht

Coordinación editorial | Editorial coordination
Eva Tabaczynska

Fotografías | Photographs
Florian von der Fecht

Diseño y producción gráfica | Production and graphic design
Photo Design

Textos | Texts
Claudio Bertonatti con la colaboración de Lorena E. Perez

Traducción | Translation
Ana Paula Morales

Impresión | Printing
Toppan, China

Editores | Publishers
Florian von der Fecht / Photo Design Ediciones
Del Nuevo Extremo

Photo Design Ediciones - Av. Maipú 1335 16ºC - (B1638ABA) - Vte. López - Buenos Aires - Argentina
Tel.Fax: (54 11) 4797-3581 - e-mail: florian@fibertel.com.ar - web: www.florian.com.ar
Del Nuevo Extremo - A. J. Carranza 1852 - (C1414COV) - Ciudad Autónoma de Buenos Aires - Argentina
Tel.Fax: (54 11) 4773-3228 - e-mail: editorial@delnuevoextremo.com - web: www.delnuevoextremo.com

Primera edición | First edition
Septiembre de 2007 . September 2007

ISBN 978-987-99166-7-4

Derechos exclusivos | Copyrights
© 2007 Florian von der Fecht
Queda hecho el depósito que marca la Ley 11.723. Todos los derechos reservados según convenciones internacionales de copyright. Ninguna parte de esta publicación puede ser reproducida o utilizada,
almacenada o transmitida en manera alguna ni por ningún medio, ya sea eléctrico, químico, mecánico, óptico, de grabación o de fotocopia, sin permiso previo de Florian von der Fecht.

A Ana y Luciana,
creatividad, compañerismo y
alegría en mi trabajo.

TO ANA AND LUCIANA,
CREATIVITY, SUPPORT AND
JOY IN MY WORK.

ARGENTINA INMENSA, DIVERSA Y CONTRASTANTE

ARGENTINA IMMEASURABLE, DIVERSE AND CONTRASTING

Introducción

INTRODUCTION

Según se sabe, en un mapa veneciano de 1536 se plasmó por vez primera el nombre Argentina. Más tarde lo popularizó un poeta español refiriéndose al Río de la Plata y la fundación de Buenos Aires. Para el siglo XVIII ya era de uso corriente. Inmortalizado, designó a la Nación del extremo sur de América. La Argentina es –por su superficie continental (2.780.400 km²)– el segundo estado sudamericano y el octavo del mundo. Además de su bandera, escudo, himno y escarapela, se identifica con el ceibo (flor), el hornero (ave), la rodocrosita (piedra), el pato (deporte) y el pericón (danza). Pero ellos no llegan a reflejar su enorme y diversa riqueza. Casi veinte regiones ecológicas se esparcen sobre un territorio de unos 3.700 kilómetros de largo y 1.400 de ancho. Tiene el punto más alto del continente –en su Aconcagua–

y la depresión más baja de Sudamérica, en su Laguna del Carbón.

A los 24 grupos étnicos aborígenes se sumaron los inmigrantes de diferentes regiones del mundo, integrando cosmovisiones, religiones, costumbres y tradiciones distintas, pero compartiendo rasgos y pasiones comunes. Bastaría escuchar una charla en un café urbano o la ceremonia del mate en una reunión campestre. Por eso la Argentina –con sus 23 provincias– es grande y compleja. Con rasgos indios, europeos y mestizos hasta en su arquitectura. Es activa, creativa y hasta polémica. Con íconos o personajes tan dispares como Carlos Gardel, el Che Guevara, Jorge Luis Borges, Atahualpa Yupanqui, Astor Piazzola y José de San Martín. Con deportistas que movilizan las mayores pasiones populares. Empezando por el diez del

fútbol, Diego Maradona. El as del básquet, Emanuel Ginóbili. La raqueta de Guillermo Vilas o de Gabriela Sabatini. Las medallas de "Las Leonas" del hockey femenino o de "Los pumas" del rugby y los cinco campeonatos del mundo de Juan Manuel Fangio. Pero a ellos habría que sumar los nombres de los galardonados con el Premio Nobel: Bernardo A. Houssay y César Milstein (de medicina), Luis Federico Leloir (de química) y Carlos Saavedra Lamas y Adolfo Pérez Esquivel (de la Paz).

Esta diversidad y riqueza prácticamente nos obligó a encarar este libro en cinco regiones, agrupando provincias que comparten paisajes, clima, naturaleza, cultura y –si se quiere– también colores, olores, sabores y otras sensaciones.

Por eso, cuando uno se refiere al Noroeste

As far as it is known, the name of Argentina was set down for the first time in 1536 on a Venetian map. Later it was made popular by a Spanish poet who used it in reference to the Río de la Plata ("River Plate") and the foundation of Buenos Aires. By the eighteenth century, this denomination had entered common usage and was immortalized as the name of the southernmost nation of the Americas. Due to its continental surface of 2,780,400 km², Argentina is the second largest South American state and the eighth in the world. Besides its national flag, coat of arms, anthem and rosette, other emblems also identify the country: the flower of *ceibo*, a bird –the hornero–, a stone –the *rodocrosita* or Inca's stone–, a sport –*pato*– and a dance –the *pericón*. But none of these fully reflects the enormous and diverse wealth of this land. Almost twenty ecological regions sprawl over

its territory 3,700 kilometres long and 1,400 wide. It boasts the highest point in the continent –the Aconcagua– as well as the lowest depression in South America –the *Carbón* Lagoon.

The 24 aboriginal ethnic groups and immigrants from various regions of the world merged in this land, thus integrating different world visions, religions, customs and traditions, while sharing common features and passions. All it takes is to listen to a conversation in an urban café or witness the ceremony of *mate* in a countryside gathering. With its 23 provinces, Argentina is therefore as large as it is complex. Even its architecture blends Indian, European and mixed-blood traits. Active, creative and also polemic, it prides itself on icons or such diverse personalities as Carlos Gardel, Che Guevara, Jorge Luis Borges, Atahualpa Yupanqui, Astor Piazzola and José

de San Martín. Other idols mobilize the greatest popular passions in the area of sports: footballer Diego Maradona –or simply *"El 10"*–, the ace of basketball Emanuel Ginóbili, the racket of Guillermo Vilas or Gabriela Sabatini, the medals won by *Las Leonas* ("The Lionesses") in women's field hockey or by *Los Pumas* ("The Cougars") in rugby, as well as the five world championships earned by Juan Manuel Fangio. To cap this gallery of celebrities, let us not forget those who have been awarded with the Nobel Prize: Bernardo A. Houssay and César Milstein in medicine, Luis Federico Leloir in chemistry, and Carlos Saavedra Lamas and Adolfo Pérez Esquivel in peace.

Such diversity and richness virtually compelled us to approach this project arranging the book in five regions, grouping together those provinces that share landscapes, climate, nature, culture, and –perhaps– colours,

imagina contrastes: la aridez de la Puna o la humedad de la selva de yungas. Con llamas y vicuñas o con tapires y monos. Con elevados horizontes inmensos o con murallas de densos bosques cubriendo cerros. Gente de cinco provincias: Jujuy, Salta, Tucumán, Catamarca y Santiago del Estero heredaron rasgos del imperio incaico y siguen hablando su lengua. Bailan música alegre aunque tengan pesares. Visten ropas coloridas como sus montañas. Gustan de procesiones y fiestas. Rezan ante una cruz y adoran la Tierra. En las provincias del Litoral (Misiones, Formosa, Chaco, Santa Fe, Corrientes y Entre Ríos) la tierra está surcada por grandes ríos, como el Paraná. Existe una Mesopotamia exuberante, con islas y costas selváticas donde se escuchan los fuertes gritos del mono carayá y donde el yaguareté mira

detrás de sombras y hojas. A la vera de caminos de tierra roja se alternarán cultivos de yerba mate con ruinas de las antiguas misiones jesuíticas. Guaraníes, colonos descendientes de inmigrantes europeos y turistas son atraídos por un poderoso imán de agua: las Cataratas del Iguazú. Montes misioneros, esteros correntinos y "cuchillas" o lomadas entrerrianas son celebradas por su mayor ritmo folklórico: el chamamé.
Cuyo, en cambio, es tierra de viñedos. La Rioja, San Juan, Mendoza y San Luis, son famosas por sus vinos y otros productos de su tierra. Montañas inmensas y volcanes espectaculares asoman su cabeza por la Cordillera de los Andes. Nieve y cuecas. Olivares y bodegas. Pastizales y montes. Acequias y pistas de esquí. Andinistas y cantores. Tierra de amores.

Al centro –con Buenos Aires y Córdoba a la cabeza– conoceremos los terrenos donde galopó el indio y el gaucho más famoso. Donde todavía se zapatea el malambo y sigue en expansión la capital del país. La misma Buenos Aires que cuando se la sobrevuela deja la impresión que más allá de su inmenso entorno conurbano le sigue el campo abierto, "el desierto" del siglo XIX. Aparecen cultivos y ganado. Fiestas de doma y folklore. Estancias jesuíticas del pasado y criollas del presente. Una milonga o una zamba. Es la llanura donde el ñandú se asoma, el trigal se mece y los venados galopan en sus últimos territorios.
Llegamos a la dilatada Patagonia, con La Pampa, Neuquén, Río Negro, Chubut, Santa Cruz y Tierra del Fuego. Largas distancias, pueblos aislados y poca gente le dan un

marco humanamente despoblado. Vientos poderosos. Horizontes lejanos. Costas, mesetas, valles y montañas. Estepas y bosques. Ríos bravíos, lagos enormes y un mar entrecortado. Cielos que permiten jugar, imaginando figuras con la forma de sus nubes.
En definitiva, la Argentina es mucho más que el mate, *Martín Fierro* y el tango. Para comprobarlo hay que recorrerla. Mientras tanto, la presentamos con estos textos y fotos capturadas con el disparo de una cámara. Ahora serán ellas las que dispararán emociones y reflexiones. Queda a solas con este libro. Esperamos lo disfrute.

aromas, tastes and other sensations too. Therefore, when one refers to the North, contrasts come to mind: the aridity of the Puna or the dampness of the Yunga cloud forest. With llamas and vicunas or with tapirs and monkeys. With vast lofty horizons or with walls of dense forest covering the mountains. People from five provinces –Jujuy, Salta, Tucumán, Catamarca and Santiago del Estero– have inherited features from the Inca Empire and still speak its language. They dance their sorrows away to the rhythm of merry music. Their clothes are as colourful as their mountains. They are fond of processions and festivals. They both pray before a cross and worship Mother Earth.
In the provinces of the Littoral –Misiones, Formosa, Chaco, Santa Fe, Corrientes and Entre Ríos–, the ground is crisscrossed by great rivers, such as the Paraná. There is a lush

Mesopotamia, with islands and wild coasts where you can hear the loud call of the howler monkey and where the *yaguareté* watches from behind shadows and leaves. *Yerba mate* plantations and ancient ruins of Jesuitic missions line reddish dirt roads. *Guaraní* people, descendants from European immigrants and also tourists, all fall under the attraction of a powerful water magnet –the Iguazú Falls. The forests in Missiones, the wetlands in Corrientes and the *cuchillas* or low hills in Entre Ríos are celebrated by their leading folklore music style, the *chamamé*.
Cuyo, instead, is the realm of vineyards. La Rioja, San Juan, Mendoza and San Luis enjoy world fame for their wines among other produce. Massive mountains and spectacular volcanoes gaze down from the Andean Mountain Range. Snow and *cuecas*. Olive groves and wineries. Grasslands and forests. Irrigation

ditches and ski resorts. Mountaineers and singers. A land of love.
In the Central Region –headed by Buenos Aires and Córdoba– we will know the grounds where the Indians and the most famous of gauchos galloped. Where many men still stomp their feet to the rhythm of the traditional *malambo*, and the country capital continues to grow. The same Buenos Aires that, seen from above, seems to stretch beyond its immense outskirts, reaching out for the open country –"the desert" of the nineteenth century. Crops and cattle enter the scene. Horse-breaking and folklore festivals. Jesuitic *estancias* from the past, and *Criollo estancias* of the present. The cadence of a *milonga* or a *zamba*. These are the plains where the rhea runs, the wind rocks the wheat field, and the deer gallop on their last territories.
And so we reach the endless Patagonia, with

La Pampa, Neuquén, Río Negro, Chubut, Santa Cruz and Tierra del Fuego. Long distances, remote villages, and few inhabitants make it an apparently desolate landscape, almost devoid of human presence. Powerful winds. Faraway horizons. Coasts, plateaus, valleys and mountains. Steppes and forests. Rapid rivers, enormous lakes and a choppy sea. Skies that invite to play, imagining figures in the shape of its clouds.
Argentina is definitely much more than mate, *Martín Fierro*, and *tango*. It takes travelling around to find out for oneself. In the meantime, we present it through these texts and photographs captured by the shot of a camera. It is their time now to trigger emotions and reflections. You are left alone with this book. We hope you will enjoy it.

Silencios del alma colla

SILENCES OF THE *COLLA* SOUL

Petiso, callado, de piel cobriza y voz baja. Ojos vivaces y manos avejentadas. Sus juguetes fueron cosas viejas. Por eso, fue niño con corta infancia. Tal vez por eso, de viejo amontonó largas esperanzas. Su ropa, siempre está ajada. En un mar de soledades el colla desembarca con poncho colorido y llamas mansas. Entre corrales de pirca y cardones que se alzan. Camina, mirando el sol que lo abraza. Su universo es todo riqueza para los ojos de la Pachamama. Con charango en mano, un carnavalito lo invita a la danza. Con quena que sopla le sobran reflexiones y añoranzas. De tanto beber silencios embriaga su alma… sin palabras. Sumiso y orgulloso anda… y anda… Conoce todos los cerros. Su vida es cuesta y bajada. Fortunato Ramos, maestro rural de Humahuaca, supo expresar:

No sobres al colla si un día de sol,
lo ves abrigado con ropa de lana;
transpirado entero.
Ten presente amigo, que él vino del
cerro donde hay mucho frío
donde el viento helado,
rajateó sus manos
y partió sus callos. (…)
El bajó del cerro a vender su lana,
a vender sus cueros,
a comprar l'azucar, a llevar su harina,
y es tan precavido que trajo su plata
y hasta su comida y no te pide nada.
(…)
No te burles de un colla,
que si vas pa'l cerro
te abrirá las puertas de su triste casa.
Tomarás su chicha, te dará su poncho,
y junto a sus guaguas,
comerás un tulpo… y a cambio de nada.

El colla vive en la Puna, donde todo está elevado. Hasta el suelo, que promedia los 3.500 metros sobre el nivel del mar. La cercanía con el sol llevó a adorarlo. Sólo el oro –entre los metales puros– emula su color. Y la plata se consuela con la Luna, reina de una noche donde las estrellas fugaces se esfuman cayendo al más allá. El viento blanco crece hasta enceguecer. Es tierra de extremos. Con baja presión y menos oxígeno, en un mismo día, se dan el verano y el invierno. De día, puede sofocar; de noche, helar. Mirando a Los Andes de igual a igual, la Puna se levanta como un horizonte… plana. Amarillenta, si tiene pastos; grisácea, cuando las piedras cubren la tierra. Sólo cardones, tolas, churquis, quéñoas y yaretas la saben verdear. Es apasionante y profunda donde está la palabra de quien la habita o sabe resguardar.

Short, quiet, copper-skinned and low-voiced. With lively eyes and aged hands. His toys were old things. And so he was a child of a short childhood. Perhaps that's why in his old age he gathered long hopes. His clothes are worn to shreds. In a sea of loneliness the *Colla* disembarks, in his colourful *poncho* and leading some tame llamas. Among pens made of *pirca* and towering *cardón* cacti. He walks, in the embrace of the blazing sun. His universe is all wealth in the eyes of *Pachamama*. A *charango* in his hands, a *carnavalito* invites him to dance. Through his *quena* he blows reflection and remembrance. Sipping so many silences his soul gets drunk…without words. Submissive and proud, he goes… and goes… He knows all the mountains. His life is hillside and slope. Fortunato Ramos, a country teacher in Humahuaca, expressed it so well:

Don't sneer at the Colla if on a hot sunny day,
He's wearing warm wool clothes
And you see him all sweat,
Remember, my friend, that he comes
From the hill where the air is chill,
Where the freezing wind cracked
His callous hands and slashed his skin. (…)
He has come down the hill
To sell his leather, to sell his wool,
He's come down to buy some sugar
And to get some flour too.
And he has brought his money
And even his own food,
He's thought it all beforehand
So he'll ask nothing of you. (…)
Don't you laugh at a Colla,
'Cos if you go up the hill, he'll open
The door to his sad home for you.
You'll drink his chicha, he'll share his poncho,
Along with his guaguas you'll eat a tulpo,
And he will ask nothing of you.

The *Colla* lives in the Puna, where everything is high. Even the ground, around 3,500 metres above sea level. The proximity to the sun resulted in adoration. Only gold –among the pure metals– can emulate its colour. And silver finds comfort in the moon, queen of a night where the falling stars fade always farther than far. The 'white wind' grows and grows until it blinds it all. It is a land of extremes. With low pressure and little oxygen, winter and summer take their turns on the same day. During daylight, it may be suffocating; at night, it may freeze. Looking at the Andes as an equal, the Puna rises like a horizon, plain. Yellowish if it has grass, greyish if the stones cover the land. Only *cardones*, *tolas*, *churquis*, *queñoas*, and *yaretas* can give it a little green. Cherished in the words of its dwellers, it is deep and enthralling.

14 | 15
El Espinazo del Diablo,
Tres Cruces
JUJUY.

'The Devil's Back',
Tres Cruces
JUJUY.

16 | 17
Cardones en flor
JUJUY.

Cardón cacti in blossom
JUJUY.

18 | 19
Purmamarca, Quebrada de Humahuaca, Patrimonio Cultural y Natural de la Humanidad (UNESCO)
JUJUY.

Purmamarca, Quebrada de Humahuaca, World Cultural and Natural Heritage (UNESCO)
JUJUY.

Albaca, ritmo, talco y color

BASIL, RHYTHM, TALC AND COLOUR

Llegó con el conquistador y se fundió con las fiestas paganas. Una vez al año, la alegría explota para celebrar la fecundidad de la tierra. La chicha riega los ánimos y lo hace con euforia. Irreconocibles, los callados hablan y cantan. Las cholas, sonrientes, zarandean sus polleras. Enmarcadas entre cerros las comparsas ensayan. Dos semanas preceden "El Desentierro" del carnaval. Durante un jueves se encuentran los compadres. Al siguiente, las comadres. Allí, conversan y bailan, renovando compromisos y amistad. A las empanadas humeantes les sigue el vino generoso y así se acortan los tiempos del carnaval hasta el sábado. Suenan anatas, erquenchos y sikus. Una larga procesión serpentea las calles del pueblo caminando hasta el pie del cerro. Como

una catedral de rocas, él espera en su altar, con una apacheta para los devotos de la Pachamama. Ellos expresan tres deseos y hacen su ofrenda. Cuando el último termina se desentierra el dueño del carnaval. Dos manos levantan de la tierra un diablito colorado, encarnación del sol enrojecido. Él es quien fecunda la tierra y quien gesta las semillas, pequeñas expresiones de vida que darán la comida. Disfrazados de diablitos, pícaros, salen de su escondite, chicos y grandes. Bailando, cantando... traveseando. Bajan zigzagueantes, pisoteando tristezas. ¡Ya todo es fiesta! ¡Llegó el carnaval! Y viene con su retoño, hijo del charango, sobrino de la quena: el carnavalito... "¡pa´ que lo bailen todos!"
El brillo del sol se refleja en las trompetas

que resuenan. Soplan con energía los músicos entonados, con ojos alegres y cachetes inflados. Parches de bombos y tambores se baten con entusiasmo. Vuelan serpentinas y bombas de talco. Algarabía, saltos, chicha y silbatos. Bailecitos y cuecas. Revive coplas un viejo solitario. Repercute su antigua caja, mientras los muchachos revolean banderas trasnochadas. Desbordan pasiones. El soltero busca novia. La soltera, disimula y el casado especula. Todo esto entre ramitas de albaca adornando las sienes, espuma de nieve, harina y papel picado. De la mañana a la noche se baila, canta y toma… hasta caer con una sonrisa cansada. Todo termina.

It arrived with the conqueror and merged with the pagan festivals. Once a year, joy bursts out to celebrate the earth's fertility. The *chicha* instils the spirits with euphoria. Unrecognizable, the quiet take to dancing and singing. Smiling *cholas* sway their skirts. Against a backdrop of hills, the *comparsas* rehearse their dances. Two weeks precede "The Unearthing" of carnival. The village's buddies or *compadres* meet on Thursday; the *comadres* meet on the next day. They get together and dance, renewing their pledges and their friendship. With some steaming-hot *empanadas* and some generous wine, the carnival will rush towards Saturday. *Anatas*, *erquenchos* and *sikus* ring in the air. A long procession winds along the town streets, walking up to the foot of the hill. Like a rock cathedral, it awaits in its altar, with an *apacheta* for the devotees of *Pachamama*. Then, they

make three wishes and present their offerings. After the last one has performed this rite, they unearth the owner of the carnival. Two hands lift from the ground a little red devil –an incarnation of the crimson sun. This is who fecundates the earth and gestates the seeds, small expressions of nurturing life. Mischievously, disguised as little devils, children and grownups leave their hiding places. Dancing, singing… going up and down. They come down in a jigsaw, trampling on their sadness. It's time to celebrate! Carnival is here! And along comes his offspring, a child of the *charango*, a nephew of the *quena*: the *carnavalito*… "For ev'rybody to dance!"
The sun shines on the resounding trumpets. With cheerful eyes, with rounded cheeks, the musicians blow energetically and in tune. They beat their *bombos* and drums with enthusiasm. Serpentines and talc bombs fly about.

Vaults of joy, *chicha* and whistles. *Bailecitos* and *cuecas* stir the party to a dance. While a lonely old man brings *coplas* back to life with the only help of his *caja*, some young men wave sleepless flags about. Passions overflow. Single men seek a girlfriend, single women pretend, and married ones speculate. Little bunches of basil leaves adorn every forehead amid showers of spray snow, flour and confetti. On and on they dance and sing and drink… All day long, until they all fall with an exhausted smile on their faces. And that's how it ends.

20 | 21
Purmamarca,
Quebrada de Humahuaca,
Patrimonio Cultural y Natural
de la Humanidad (UNESCO)
JUJUY.

Purmamarca,
Quebrada de Humahuaca,
World Cultural and Natural
Heritage (UNESCO)
JUJUY.

22 | **23**
Carnaval en la
Quebrada de Humahuaca,
JUJUY.

Carnival in the
Quebrada de Humahuaca
JUJUY.

Hojas sagradas y coplas consagradas

SACRED LEAVES AND CONSECRATED *COPLAS*

La Puna puede ser muy dura, pero sus hijos conocen un milenario antídoto. Quien la recorre entre el sol, las piedras, la fatiga y la distancia lleva inflado un cachete de la cara. Es el "acullico", apenas un bollito de hojas de coca que animan y combaten el apunamiento, el mal de la altura. Aunque amargas, alivian mientras se mastican sueños y se acortan las jornadas. Vencedora de la puna, amiga del que viaja. Arriando cabras, chiflando cañas, buscando burros, rastreando llamas. Hojitas de coca, ofrenda en la apacheta, juntitas todas, para pedir a la Pachamama. Hojitas de coca, compañeras mágicas del que anda.

Para la Pachamama las montañas viven. Respiran. Han engordado con los difuntos indios del pasado. Allí reposan. Desde allí contemplan. Por eso, en la lengua que legaron los incas, Pachamama significa "Madre Tierra". Venerada, despierta devoción y gratitud. Concentra ruegos y anhelos, promesas y pedidos. Ella dará protección contra el cansancio y la enfermedad, o bien rumbo para no perder el camino. Sobre un altar de piedras o un pocito en la tierra se le convida bebida y comida. Sacrificio incruento para alimentar esperanzas. Para cosechar gracias. Cinco siglos de espadas y cruces no lograron sofocar el espíritu de los Andes. Cada primero de agosto, cada puneño se inclinará con las dos manos juntas para decirle, desde los tiempos de los incas: "Pachamama, cusiya, cusiya". Es decir, "Madre Tierra, ayúdame, ayúdame". Por esta razón, cuando se observa a un campesino convidar a la tierra con un chorrito de la bebida que está por beber no deberá extrañar. Con esa actitud agradece a la Pachamama el trago que le va a brindar. Él sabe que algo le devolverá. A veces, en forma de copla.

Juan Alfonso Carrizo, pionero de los estudios folklóricos argentinos, recogió coplas de los pobladores de valles y cerros. Puso por escrito versos orales, antes que el olvido los arrasara. Muchos viven en la memoria popular. Otros ya no están. Pero siempre hay uno nuevo asomando, con cada amanecer, en cada ladera, en un abra, en una quebrada o en el ermitaño fogón de un rancho campesino. Allí, asomarán las inmortales coplas, al compás de una caja.

The Puna can be harsh, but its children know a millenary antidote. Something swells one of the cheeks of those who walk up and down the hills, surrounded by sun and stones, going through fatigue and distance. They call it 'acullico' –just a little roll of coca leaves that raise their spirits and fight mountain sickness or *apunamiento*. Despite their bitter taste, they sooth the walkers' pains so they can cut the journey short while they chew their dreams away. Defeater of the Puna, the *acullico* is a friend of the traveller. Driving goats, whistling tunes on a cane, chasing donkeys, following the trail of llamas. Little coca leaves, all together in the *apacheta*, as an offering to *Pachamama*. Little coca leaves, magical companions to those who walk.

To *Pachamama*, the mountains are alive. They breathe. Swollen with the gone Indians of the past. They rest out there. From there they watch. For this reason, in the language that is a legacy of the Incas, *Pachamama* means "Mother Earth." Worshipped, it awakens devotion and gratitude. It congregates supplication and yearning, pleas and promises. She will guard you against weariness and illness, or will show you the way lest you may lose the path. Upon a shrine made of stones or in a little hole dug on the ground, she will receive food and drink. Bloodless sacrifice to feed hopes. To harvest graces. Five centuries of swords and crosses wouldn't suffocate the spirit of the Andes. On the first of August, every year since the times of the Incas, each *Puneño* bows with joined hands to say: *"Pachamama, cusiya, cusiya."* That is: "Mother Earth, help me, help me." For this reason, when you see a peasant share with the land a drop of what he is about to drink, it shouldn't come as a surprise. With this attitude, he is expressing his gratefulness for the treat. He knows that he will give her something in return. Sometimes, in the shape of a *copla*.

Juan Alfonso Carrizo –a pioneer of Argentine folklore studies– collected *coplas* sung by the inhabitants of valleys and hills. He wrote down oral verses before oblivion could wipe them away. Many live in the people's memory. Others are gone. But there is always a new one emerging, with every sunrise, on each hillside, through a pass, in a canyon, or in the lonely hearth of a peasant's *rancho*. There the immortal *coplas* will be born, to the beat of a *caja*.

24 | 25
Puertas
JUJUY.

Doors
JUJUY.

24 | 25

26 | 27
Artesanías de la Quebrada de Humahuaca
JUJUY.

Handicrafts from the Quebrada de Humahuaca
JUJUY.

28 | 29
Sierra Santa Victoria
SALTA.

Santa Victoria Mountain Range
SALTA.

26 | 27

Cuando los santos vienen marchando

WHEN THE SAINTS GO MARCHING IN

En el corazón de un hogar humilde se custodia una virgen o un santo. En definitiva, un afecto especial. Acompaña y vela en un rincón, dentro de una cajita multicolor. Ese diminuto altar concentra el pedido y la oración. Unas florcitas coloridas adornan su entorno de pobreza. Desde allí contempla en silencio las vicisitudes de la vida colla y criolla. De mañana o de tarde, de día o de noche, con sol o tormenta. Pero hay un día en que esa virgen o ese santo también espera, reservando energías, entre penas y alegrías. En la fiesta patronal está su gran homenaje. Es que no hay pueblo sin santo ni procesión. Podrá ser corta o larga. Siempre, respetuosa y devota. Caras serias, rostros melancólicos. No faltará el sufrido que perdió a su ser querido. Tampoco aquél que espera su primer hijo. Se mezclan tristezas con esperanzas. Todas juntas, encolumnadas detrás de cada uno, con su cajita adorada. Así van los promesantes, marchando, pensando, soñando… No falta la chicha y las coplas. Menos, el baile. El paso de la procesión es precedido por el retumbar de bombos, el grito del erke, el rasguido de un charango y el aliento que exhalan las quenas. Los sikus soplan vientos de música. Estallan bombas de estruendo que sorprenden y confunden. Aunque el acto es sencillo, se condensa en un tiempo complejo de privacidad hecha pública. Una vez más, lo cristiano con lo pagano se funden, como las oraciones con el alcohol, la cruz con la apacheta. Tras cumplir con el homenaje, esa pequeña imagen entrañable retorna a su pago chico. Allí esperará al año siguiente para revivir tradiciones entre fiestas y oraciones.

The heart of a humble home guards a virgin or a saint. Certainly, a most special affection. They watch over the home from a corner, in a little multi-coloured box. This tiny shrine gathers prayer and supplication. A few little flowers enhance a background marked by poverty. From there they contemplate in silence the ups and downs in the life of a *Colla* or a *Criollo*. In the morning or in the evening, day and night, rain or shine. But there is one day that the saint or virgin also longs for, saving energies, among sorrows and joys. The Patron Saint's Day is the great festival in their honour. Indeed, there is no town without a procession. Whether long or short, it is always respectful and devoted. Grave faces, melancholic expressions. Those who mourn a beloved one march together with those who expect their first child. Woes and hopes come along, flocking behind the devotees and their worshipped little boxes. And so march the *promesantes*, marching, thinking, dreaming… Kindled with the warmth of the *chicha* and the *coplas*. And the dance, of course. The passing of the procession is announced by the rumble of the *bombos*, the call of the *erke*, the strumming of a *charango* and the breath of the *quenas*. The *sikus* blow winds of music. Thundering rockets bang into surprise and confusion. Although the act is simple, it crystallizes in a complex time of privacy made public. Once again, the Christian and the pagan worlds blend, like prayers with alcohol, like the cross with the *apacheta*. After the homage is paid, the little venerated image returns home, where it will wait until the following year to revive traditions among festivals and prayers.

Juella, Quebrada de Humahuaca,
Patrimonio Cultural y Natural
de la Humanidad (UNESCO)
JUJUY.

Juella, Quebrada de Humahuaca,
World Cultural and Natural
Heritage (UNESCO)
JUJUY.

Catedral Basílica,
Ciudad de Salta
SALTA.

**Basílica Cathedral,
Salta City**
SALTA.

Iglesia de San Francisco, Ciudad de Salta
SALTA.

Church of San Francisco, Salta City
SALTA.

Cuesta del Obispo
SALTA.

Obispo Pass
SALTA.

Como icono argentino es "Patrimonio Cultural y Natural Mundial". Un cielo despejado, con sol radiante, ilumina la Quebrada de Humahuaca. Churquis y cardones forman islas en su océano de piedras. Hay espinas y flores, pumas y quirquinchos, yaretas y llamas, suris y zorrinos. Son los pagos del quebradeño, del legendario Coquena y sus protegidas vicuñas. También de leyendas, coplas, fiestas, música, ritos, hábitos, costumbres, artes e historias que concentran la identidad del alma colla. Tiene apenas 155 kilómetros, con una quincena de poblados, más de 200 sitios arqueológicos y 10.000 años de historia. Cada tanto, todavía se levanta una fortaleza precolombina o pucará, como el de Tilcara. Todos los domingos, en torno a la plaza de cada pueblo, hay un mercado activo y una iglesia abierta. Purmamarca o Humahuaca lo atestiguan, combinando ponchos con responsos, entre lo terrenal y lo celestial. Hermosa tierra jujeña…

No son pocos los que siguen hacia el sur, dejando atrás la Quebrada, yendo para los campos del Tucumán, entre arenales y montes, donde los cerros se elevan como manos que saludan al viajero. A veces, grises. A veces, rojos. Todos con pinceladas blancas, negras y amarillas. Como si Dios mismo hubiera jugado a ser pintor. Un cielo turquesa muestra esa inmensidad superior. A veces, salpicados por nubes puras, blancas como mechones de algodón. Cada tanto un pueblito o un viñedo. Allí la tierra transpira vino, sembrando alegrías para el poblador o el forastero. Una guitarra rasga una zamba y un bombo le pone latido. Música para el corazón y vino para olvidar, dos símbolos para recordar. Un pastor de cabras, rodeado por perros flacos, regresa a su casa ahumada, donde una mujer cocina callada.

Así son los Valles Calchaquíes, con caminos que rompen curvas, esquivan arenales, ladean cerros y atraviesan la nación de los cardones, bordeando su propio parque nacional. Pocos caminos reservan tanta belleza y color para los ojos de un turista.

Caminos entre quebradas, valles y cerros

ROADS AMONG CANYONS, VALLEYS AND MOUNTS

An Argentine icon, beneath a clear sky and a shining sun, the Quebrada de Humahuaca is a "World Cultural and Natural Heritage" site. Churquis and cardón cacti form islands on its rocky ocean. There are thorns and flowers, pumas and quirquinchos, yaretas and llamas, suris and skunks. Home to the Quebradeño, to the legendary Coquena and his protected vicunas, it is also inhabited by legends, coplas, festivals, music, rites, habits, customs, arts and stories that amalgamate the identity of the Colla soul. With only 155 kilometres, the Quebrada comprises about 15 villages, more than 200 archeological sites, and 10,000 years of history. Here and there, still stand pre-Columbian fortresses or pucarás, such as the one in Tilcara. Every Sunday, around each town's square, there is an active market and an open church. Villages like Purmamarca or Humahuaca bear witness to this, blending prayers for the dead with ponchos, where the earthly and the heavenly come together. Beautiful land of Jujuy…

A road leads to the south, leaving the Quebrada behind, going toward the fields of Tucumán, amidst dunes and hills, where the mountains rise like hands to wave at the traveller. Grey here, red there. Strokes of black and white and yellow everywhere. Just as if God had been playing, pretending to be a painter. Above, a deep blue sky reveals that higher immensity. Dotted at times with pure white clouds, like cotton puffs. Below, scattered villages or vineyards. There, the land transpires wine, gathering delights for dwellers and foreigners alike. A guitar strums a zamba and a bass drum adds a pulse. Music for the heart and wine to forget, two symbols to remember. A goat shepherd, surrounded by a few skinny dogs, returns to his smoky home, where a woman cooks in silence.

Such are the Calchaquí Valleys, with roads that break curves, dodge dunes, pass by mountains, and go through the nation of the cardón, weaving together their own national park. Few roads reserve so much beauty and colour for the eyes of a visitor.

52 | 53
Petroglifos, La Puna
CATAMARCA

Petroglifos, La Puna
CATAMARCA.

52 | **53**
Llamas, La Puna
CATAMARCA.

Llamas, La Puna
CATAMARCA.

La Ruta 40
ROUTE 40

Pocos caminos son tan largos y famosos. Por eso –con respeto y no sin admiración– sólo la llaman "La Cuarenta". A diferencia de todas las demás rutas nacionales, su kilómetro cero no está en el Congreso de la Nación (en la ciudad de Buenos Aires), sino en Cabo Vírgenes, en la boca del Estrecho de Magallanes. Como columna vertebral sostiene y une maravillosos escenarios del Oeste argentino, desde la austral Río Gallegos hasta la norteña La Quiaca. Sus 4.800 kilómetros de traza son desiguales. Presenta extensos tramos pavimentados que se interrumpen con otros de ripio y que, a veces, se continúan con simples "huellas", similares a los caminos abandonados de una vieja estancia criolla. Nada detiene sus emociones para abrirse paso a través de una gran diversidad de paisajes de la geografía argentina. Atraviesa más de 200 puentes y unos 20 ríos. Trepa parajes hasta alcanzar casi los 5.000 metros de altura sobre el nivel del mar. Fue creada en 1935 y varias veces modificó su recorrido. De todos modos, casi sin pretenderlo, hoy une y permite conocer un amplio repertorio de lugares de ensueño: parques nacionales, sitios declarados Patrimonio de la Humanidad (como la Cueva de las Manos y el Glaciar Perito Moreno), pueblos ignotos, ciudades consagradas (como Bariloche), represas enormes, diques recreativos, campos productivos y áreas naturales salvajes. Da forma a la "Ruta del Vino", ronda la Caverna de las Brujas y cruza el ramal por el que corre el célebre Tren de las Nubes. Esquiva faldeos y cuestas, burla al cálido viento Zonda, merodea minas de oro (como la Mexicana) y serpentea famosas ruinas arqueológicas como las de Quilmes. Pasa por valles maravillosos como los Calchaquíes, surca viaductos, cruza salinas, señala lugares históricos y avanza por quebradas, como la de Las Flechas. Encuentra capillas perdidas en el horizonte, se persigna ante iglesias gloriosas y accede a caseríos coloniales, mientras a sus flancos cabalgan los paisanos. No caben dudas: dará muchas oportunidades para admirar, descansar, reflexionar, disfrutar y hasta tomar fotos para inmortalizar imágenes imborrables de la memoria del viajero.

Few roads are as long and famous as this. That is why, with respect and not without admiration, people just call it *La Cuarenta.* Unlike all other national routes, it does not begin at the National Congress, in the city of Buenos Aires, but in Cape of the Virgins, at the mouth of the Magellan Strait. Just like a backbone, it supports and links wonderful landscapes of the Argentine West, from Río Gallegos in the south to La Quiaca in the northern extreme of the country. Along 4,800 kilometres, it goes through uneven conditions. Long paved stretches are interrupted by all-wheather sections and at times by simple "trails," similar to the abandoned roads of an old estancia. However, no obstacle stands on the way of its emotions as it stretches in all its length through a great diversity of landscapes of the Argentine geography. It crosses more than 200 bridges and about 20 rivers; it climbs hillsides reaching up to 5,000 metres over sea level. Created in 1935, its course was modified several times. Anyway, almost unintentionally, it connects and allows us to visit an ample repertory of dreamy sites: national parks, World Heritage sites such as the Cave of the Hands and the Perito Moreno Glacier, obscure villages, celebrated cities such as Bariloche, enormous dams, recreational reservoirs, productive fields and wild areas. *La Cuarenta* contains the "Route of Wine," roams around the Witches' Cave, and comes across the rails of the famed "Train to the Clouds." It winds around passes and cliffs, eludes the warm Zonda wind, wanders by goldmines –such as La Mexicana–, and borders world-famous archeological sites like the Quilmes ruins. Then it passes through wonderful valleys like the Calchaquí valleys, it crosses salt flats, points out historical places and opens its way through huge gorges and deep ravines like that of Las Flechas. It finds chapels lost on the horizon, crosses itself before glorious churches and enters colonial hamlets while the paisanos ride along. Undoubtedly, it will give plenty of opportunities to admire, rest, reflect, enjoy and even take photographs to immortalize images that will never fade in the traveller's memory.

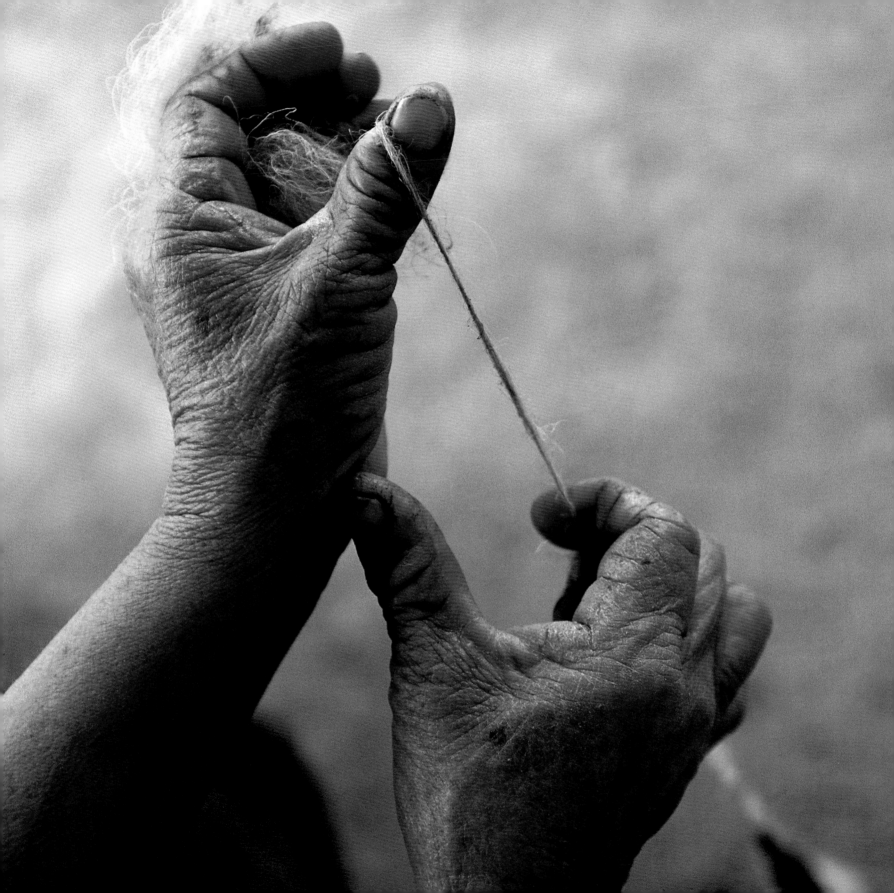

El Valle de la Luna y la Quebrada de Marte

THE MOON VALLEY AND THE MARS CANYON

Debajo de sus 60 mil hectáreas yace un cementerio… de dinosaurios. Como si fuera un libro de roca, cada hoja conserva la añeja memoria de la Tierra. Al menos, uno de sus capítulos: el Triásico. Allí, un enorme paredón rojo emerge como una gigantesca lápida que rememora la comarca donde gobernaron terroríficos reptiles, hoy extintos. Sobre el paisaje lunar de Ischigualasto hoy reina la paz y el arte. En su vasto desierto gris afloran gigantescas esculturas talladas por el caprichoso cincel que enarbola el viento y baña la lluvia. La escasa vegetación casi no asoma y crece pequeña y heroica entre monumentales hongos de piedra. El más ingenuo de los mortales puede predecir sus misterios. Debajo de su tierra yace, mudo, un inmortal archivo paleontológico que –como una caja de Pandora– cuando alguien lo abre revela secretos de 200 millones de años. Por eso, siempre se exhuman dinosaurios desconocidos por la ciencia. Se ratifica que la fauna de esta región fue mucho más variada de lo que se creía y que su extinción, menos masiva en aquel prehistórico supercontinente llamado Pangea. Mientras la imaginación vuela o reflexiona sobre estos asuntos, el paso de las horas cambiará los tonos del paisaje. El sol jugará con las sombras y se sucederán los contrastes entre las grises tierras y las rocas rojas.

Si Ischigualasto es el Valle de la Luna, Talampaya es la Quebrada de Marte. Ambos conforman un "Patrimonio de la Humanidad" de la Tierra. Una orgullosa muralla roja –como llamarada de fuego petrificado– recorre más de medio centenar de kilómetros para unir estos lugares. Debajo, lo que fuera el lecho de un río prehistórico –ya seco– verdean retamos y algarrobos. Con ingenuidad, unas maras saltan sin presentir la amenaza de un puma esquivo y las gritonas chuñas ignoran la emboscada próxima del pillo zorro. Los algarrobos ofrecen su sombra espléndida y sus frutos, las algarrobas, regalan su dulzor generoso y la famosa muña-muña su poder afrodisíaco. Restos de cerámica y grabados rupestres evidencian el sentido artístico de la antigua presencia humana. No hay visitante que no se sorprenda, que no juegue con sus fantasías, que no vuelva a ser niño y que no se vaya más grande.

Beneath its 60 thousand hectares lies a cemetery… of dinosaurs. Just like a book made of rock, every page preserves the age-old memory of the Earth, or so does one of its chapters –the Triassic. An enormous red wall rises like a colossal tombstone marking the land that was once ruled over by terrifying reptiles. A kingdom that has become extinct. Now, peace and art rule over Ischigualasto's moonscape. Massive sculptures, carved by the wind's whimsy chisel and bathed by the rain, jut out in the vast grey desert. Vegetation hardly appears on the scene and grows small and heroic among monumental stony mushrooms. The most innocent of mortals can predict its mysteries. Under the ground lies a treasure of immortal paleontology archives which –just like Pandora's box– reveal to those who open them secrets that have been waiting in silence for 200 million years. Indeed, the dinosaurs that are unearthed here always turn out to be unknown to science, which confirms both that this region's fauna was much more varied than it was believed and also that its extinction was less massive in that prehistoric supercontinent called Pangea. While imagination flies or reflects upon these matters, the passing of time will change the shades of the scene. As the hours go by, the sun will play with the shadows, and contrasts between the grey soil and the red rock will follow in succession.

If Ischigualasto is the Moon Valley, Talampaya is the Mars Canyon. Both make up a "World Heritage" of the Earth. A proud red wall –like a blaze of petrified fire– stretches over 50 kilometres to join these sites. Below, what used to be the bed of a prehistoric river turns green with *retamos* and carob trees. Some *maras* naively jump about without feeling the threat of a sly puma, and a few noisy *chuñas* ignore the imminent ambush of a fox. Carob trees offer their splendid shade and carob beans give out their generous sweet scent, while the *muña-muña* shares its celebrated aphrodisiac power. Remains of cave paintings and rupestrian pottery manifest the artistic sense of the ancient human presence. No one can escape this landscape's charming touch. Each visitor will fantasize, everyone will be a child again, only to leave older and wiser.

60 | 61

Parque Nacional Talampaya, Patrimonio Natural de la Humanidad (UNESCO) LA RIOJA.

Talampaya National Park, World Natural Heritage (UNESCO) LA RIOJA.

62 | 63

Parque Nacional Talampaya, Patrimonio Natural de la Humanidad (UNESCO) LA RIOJA.

Talampaya National Park, World Natural Heritage (UNESCO) LA RIOJA.

Con sabor a vino

"Dios hizo al vino y al hombre
Para que se puedan juntar.
Dios es todo poderoso:
¡Hágase su voluntad!"

(Coplas populares recitadas por Atahualpa Yupanqui)

Desde hace al menos 5.500 años el vino alegra el cuerpo y el alma del hombre. Ya la Biblia nos cuenta que hasta Noé lo bebió de más. Colón lo trajo a América y Hernán Cortés lo arraigó con su conquista. En 1557 las manos del fraile mercedario Juan Cidrón trajeron las primeras uvas al territorio argentino. Desde entonces, la aridez de Cuyo se compensa. Aire seco, sol fuerte, clima templado, suelo permeable y riego abundante dan vinos generosos. Cinco siglos de tradición avalan el prestigio de sus tintos, blancos,

rosados y espumantes consagrados internacionalmente. Sus viñedos son alargados y paralelos. Ofrecen vinos varietales (cuando son elaborados con uvas de una sola variedad) y genéricos (si se obtienen con proporciones de más de una). En estos últimos, la combinación exacta se custodia como un secreto. Cada bodega sólo revela el año de cosecha y la ubicación geográfica del viñedo para que sólo se pueda particularizar sus dones. Los "tintos" de esta región, por ejemplo, exhiben un rojo intenso con aroma que recuerda a guindas, ciruelas o especias y con taninos dulces y ahumados, bien estructurados y ligeramente impregnados por toneles de roble francés. Sus nombres delatan su origen galo: *Malbec, Merlot, Chardonnay, Cabernet Sauvignon, Syrah...*

Y no hay que dejar de lado que todavía se sigue haciendo de modo artesanal el vino "patero", pisando con las "patas" las uvas sobre cueros.

Es sabido que donde abunda el vino no falta la fiesta. Por eso, en la primera semana de marzo se inicia –en Mendoza– la Fiesta de la Vendimia. Desfilan carruajes, se bendicen los frutos ante la presencia de la Patrona de los Viñedos (la Virgen de la Carrodilla), marchan los gauchos, se presentan las hermosas representantes de cada Departamento provincial y, finalmente, se corona a la Reina en la última noche, donde el folklore es música y baile. Este conjunto de atractivos configura la "Ruta del Vino", que une viñedos, bodegas, antiguas cavas y museos que fortalecen la añeja relación del hombre con la vid.

"So they can be togheter,
God made wine and man.
God is almighty:
His will be done!"

(Popular *coplas* recited by Atahualpa Yupanqui)

For almost 5,000 years, wine has been providing delight to the body and soul of the human being. Such an early source as the Bible tells us that Noah himself had too much of it. Columbus brought it to America and Hernán Cortés rooted it with his conquest. In 1557, the hands of Mercedarian Friar Juan Cidrón introduced the first grapes in the Argentine territory. Ever since then, the aridity of Cuyo has had compensation. Dry air, strong sun, temperate climate, permeable soil and abundant irrigation combine to yield generous wines. Five centuries of tradition endorse the prestige of

its internationally renowned red, white, rosé, and sparkling wines.

Cuyo's vineyards are elongated and parallel. They offer varietal wines –when they are made from, and named after, a single grape variety– and generic wines –those obtained blending different varieties, whose exact proportions are a treasured secret. Each winery discloses only the year of harvest and the geographical location of the vineyard so that its qualities can only be particularised. This region's red wines, for instance, are intensely red, well balanced and slightly impregnated by French oak barrels, with an aroma reminiscent of cherries, plums or spices and with sweet and smoky tannins. Their names give a hint of their French origin: *Malbec, Merlot, Chardonnay, Cabernet Sauvignon, Syrah...* And it is worth mentioning that the *"patero"* wine is still made in the old traditional way: by crushing the grapes with bare

feet –*en patas*–, on top of pieces of leather. Everybody knows that when wine is plentiful, it calls for revelry. In Mendoza, this comes with the National Grape Harvest Festival. During the first week of March, *gauchos* ride in full attire and allegorical floats parade along the streets, the fruits are blessed before the Virgen de la Carrodilla –Patron Saint of the Vineyards– and gorgeous young women represent each provincial district. On the last night, the crowning of the new Queen of the Festival and a show of folklore music and dance crown the celebration. All these attractions make up the "Route of Wine", which links vineyards, wineries, old cellars and museums that intensify the relation between the human being and the grapevine, a relation that has matured for ages.

Bodega
MENDOZA.

Winery
MENDOZA.

74 | 75
Viñedo
MENDOZA.

Vineyard
MENDOZA.

74 | **75**
Vendimia
MENDOZA.

Grape harvest
MENDOZA.

76 | **77**
Viñedo, Cordón del Plata
MENDOZA.

Vineyard, Del Plata Mountain Range
MENDOZA.

74 | 75

El supremo de los Andes
THE SOVEREIGN OF THE ANDES

Su ancha silueta disimula su altura: 6.962 metros sobre el nivel del mar. Igual, poco le importa si impresiona o no al viajero. Es reservado en su talento como un estoico centinela de roca. Pero mirándolo de cerca presenta delicadas flores y pequeños cactus entre sus grandes piedras. El Aconcagua deja ver el planeo de los cóndores, mensajeros de los Dioses para la cosmovisión inca. Y el fugaz vuelo del picaflor andino o el estridente canto del jilguero amarillo. Una manada de guanacos lo trepa y el macho que la comanda relincha, saludando y advirtiendo. Estas son sólo apenas algunas de sus bellezas salvajes. Nadie como el andinista respeta y conoce los desafíos que esconde esta montaña. No en vano su nombre indio significa "otra de las cumbres muy altas temidas o admiradas". Su mundo es casi vertical, con laderas hostiles: más cercanas, más temibles. Pide alto precio por pisar sus piedras, tocar su nieve o compartir sus silencios. Nadie conoce sus sueños. Y su cumbre es celosa. Sólo unos pocos llegarán a ella, pero abonando un caro peaje de frío, temor, riesgo y sacrificio. Igual, todo lo vale para quien quiere compartir su soledad y su infinito. El que lo busca lo sabe: emprender su camino es hallar el imperio del viento. Con suerte envidiable llegará a la gloria de su cumbre. Allí, donde el cielo y tal vez Dios estén más cerca. Regalará, entonces, un raro y hermoso privilegio: 360 grados a la vista, desde el pico más alto de América. Difícil le resultará describir ese momento. Se quita de encima la mochila, respira hondo y siente que llegó tan lejos… y tan alto… A donde nadie lo mandó, a veces, maldiciendo en el camino del sudor, con manos y pies helados hasta el dolor. Pero al llegar a la cima, todo tiene otro color. Hay euforia, excitación… Se enriquece el corazón mirando hacia abajo: lagunas, glaciares, valles y otros cerros, aunque haya cerrazón. Es que hay riesgos que se asumen sólo para sentir emoción. Unos lo llaman locura. Otros, pasión. Lo que no se ve, se imagina en el camino atroz. Allí uno conoce y se conoce porque pocas veces la vida está tan cerca de la muerte, junto con los misterios de la naturaleza o de Dios.

Its wide outline masks its hight. With 6,962 metres over sea level, it cares little about impressing the traveller. Like a stoic sentinel of rock, the Aconcagua is reserved. But looking up close, it is possible to make out delicate flowers and small cacti among its enormous stones. Then the gliding of condors –messengers of the gods in the Inca vision of the cosmos– comes into sight. The fleeting flight of humming birds or the shrill song of the yellow finch add sound to the view, while a herd of guanacos climbs the mountains and the leading male neighs, both greeting and warning. These are just some of its wild beauties. Mountaineers alone can fully understand and respect the challenges that this mountain has in store. Not in vain its Indian name means "another of the feared or admired very high peaks". Its world is almost vertical, with hostile sides: the closer the more frightening. It puts a high price on the privilege of stepping on its stones, of touching its snow, of sharing its silence. Nobody knows its dreams. Its summit is jealous and only those willing to pay the toll of enduring cold, fear, risk, and sacrifice may reach it. Nothing matters; it is all worth while for those who want to share its loneliness and infiniteness. Those who seek it know: to set out on that journey means to find the empire of wind. With enviable luck some will reach the glory of its summit. Up there, where the sky and perhaps God are closer. Then, the mount will offer a rare and breathtaking gift. A view of 360 degrees, from the highest peak in the Americas. It will be hard for the climbers to describe such a moment. They will put down their backpacks and take a deep breath, feeling that they have come such a long way… so high… Up there, where they were never asked to go, where they arrived cursing the pain of frozen hands and feet. But once on the top, everything takes on a different colour. Euphoria and excitation emerge. Even if the sight is misty, the heart swells looking down: lakes, glaciers and other mounts. Indeed, there are risks that are only assumed so as to feel emotion. Some call it madness. Others, passion. What cannot be seen is imagined on the atrocious path. There, one gets to know and gets to know oneself because few times in life is one so close to death, along with the mysteries of nature or of God.

78 | 79

Cerro Aconcagua,
Parque Provincial Aconcagua
MENDOZA.

Aconcagua Mount,
Aconcagua Provincial Park
MENDOZA.

Parque Nacional Sierra de las Quijadas
SAN LUIS.

Sierra de las Quijadas National Park
SAN LUIS.

Donde rue el agua

Una gigantesca cortina de agua se precipita a un abismo rodeado de selva. Allí se escucha el grito máximo del Litoral. Como si fuera vapor, una masa de diminutas gotas frías humedeció el rostro emocionado de su descubridor, el adelantado español Alvar Núñez Cabeza de Vaca, allá, por 1541. Qué habrá sentido ese hombre tras abrirse paso, con su armadura, entre una maraña de hojas, ante el zumbar de los insectos y el suspenso de un potencial ataque indio… Nadie lo sabrá, pero cualquiera que esté allí puede imaginarlo. Según se dice, Eleanor, la esposa del Presidente Franklin D. Roosevelt, al contemplarlas sólo pudo exclamar: "¡pobre Niágara…!" Es que su belleza sólo puede rivalizar con el Salto Victoria de África o su par venezolano, el del Ángel.

Aquí, más de 270 saltos a lo largo de cuatro kilómetros y con una altura de hasta 82 metros se precipitan en el "Agua Grande". Tal es el significado de Iguazú en lengua guaraní. Y no es para menos. La Argentina y Brasil comparten y protegen estas cataratas con dos parques nacionales. El conjunto fue declarado Sitio del Patrimonio Mundial por UNESCO en 1984. Son miles las personas que arriban desde todo el mundo para mojar su cara, detenerse unos minutos frente a la Garganta del Diablo, para caminar por la selva y conocer coatíes, tucanes, mariposas, picaflores, vencejos y orquídeas, cuando no para contemplar las sigilosas huellas del yaguareté.

En 1902 un visionario arquitecto y paisajista francés, Carlos Thays, supo que ese entorno magnífico debía ser preservado y con su propio puño y letra escribió el proyecto de creación del parque nacional argentino. Aquel rivalizó con otras propuestas descabelladas, como la de construir una represa en el mismo río. Pero en 1934 su sueño se hizo realidad y para todos, sumando más de 55.000 hectáreas de selva. A través de sus senderos húmedos de tierra colorada pudieron computarse más de dos millares de plantas identificadas (entre ellas, un centenar de orquídeas diferentes), 20 especies de anfibios, 40 de reptiles, 60 de peces, 70 de mamíferos, 400 de aves e incontables de invertebrados (entre las que se cuentan unas 350 de mariposas). Si el paraíso existe, no debe ser muy diferente.

A giant curtain of water plunges into an abyss surrounded by forest. Here is where the Littoral cries its loudest cry. Like a cloud of steam, a mass of tiny cold drops soaked the astonished face of the Spanish Adelantado Alvar Núñez Cabeza de Vaca, when he discovered the falls back in 1541. What might that man in armour have felt as he struggled through a tangle of leaves, through the hum of insects and the looming menace of an Indian attack…? Nobody can tell, but anybody who stands here can imagine it. Eleanor Roosevelt –wife of the American President Franklin D. Roosevelt– is said to have exclaimed "Poor Niagara!" as she gazed at the waterfalls. Indeed, their unrivalled beauty is only comparable to the Victoria Falls in Africa or the Angel Falls in Venezuela.

Here, more than 270 waterfalls stretching along four kilometres and rising up to 82 metres plummet into the "Big Water," which is the meaning of 'Iguazú' in the language of the Guaraní. And they were right to call it so. Both Argentina and Brazil jointly protect these falls with two national parks. These were declared a World Heritage Site by UNESCO in 1984. Thousands of people come here from all over the world to wet their faces, stand for some minutes in front of the Devil's Throat, walk into the jungle, and come across coatis, toucans, butterflies, humming birds, swifts, orchids, and even contemplate the footpath of the stealthy *yaguareté* or jaguar.

In 1902, Carlos Thays –visionary French architect and landscape designer– realized that such a magnificent environment had to be preserved and so he wrote a project for the creation of the Argentinian national park. His project was contested by absurd schemes such as one that proposed the construction of a dam on the river. However, in 1934 his dream came true and over 55,000 hectares of jungle became a National Park for everyone to enjoy. A wealth of biodiversity has been identified through its damp paths of red soil: more than two thousand plant species (100 different kinds of orchids among them), as well as 20 species of amphibians, 40 of reptiles, 60 of fishes, 70 of mammals, 400 of birds and countless types of invertebrates (including around 350 kinds of butterflies). If heaven exists, it cannot be too different.

82 | 83
Cataratas del Iguazú,
Parque Nacional Iguazú,
Patrimonio Natural
de la Humanidad (UNESCO)
MISIONES.

Iguazú Falls,
Iguazú National Park,
World Natural
Heritage (UNESCO)
MISIONES.

84 | **85**
Cataratas del Iguazú,
Parque Nacional Iguazú,
Patrimonio Natural
de la Humanidad (UNESCO)
MISIONES.

Iguazú Falls,
Iguazú National Park,
World Natural
Heritage (UNESCO)
MISIONES.

86 | 87
Cataratas del Iguazú,
Parque Nacional Iguazú,
Patrimonio Natural
de la Humanidad (UNESCO)
MISIONES.

Iguazú Falls,
Iguazú National Park,
World Natural
Heritage (UNESCO)
MISIONES.

86 | **87**
Fauna autóctona del Parque Nacional Iguazú.
Guacamayo rojo, mariposa manifestante,
coatí y tucán pico verde
MISIONES.

Native fauna of the Iguazú National Park. Red macaw,
statira sulphur, coati and green-beaked toucan.
MISIONES.

Un siglo después del descubrimiento de América los jesuitas avanzaron detrás de un libro y una cruz. Levantaron misiones y reducciones entre selvas y montes. Su arquitectura logró un alto refinamiento artístico. Una plaza principal, varias calles y unos cuantos edificios hallaban contención geométrica dentro de una muralla de piedra. Las estructuras barrocas se enriquecieron internamente con la imaginería guaraní. Ángeles, santos, vírgenes y cristos de madera policromada poblaron sus templos de piedra roja. Detrás de las murallas, combinaban el uso de la tierra con el *abá-mbaé* o usufructo privado (para el indio y su familia) y el *tupá-mbaé* o hacienda de Dios, que producía bienes comunes para sostener su autoridad, la escuela, el templo y la administración.

Su imprenta fue la primera de Sudamérica y fueron suyos también muchos de los primeros y más prestigiosos colegios y universidades. Algunos siguen en pie.
Es fácil advertirlo: en dos siglos forjaron un reino y como cualquier otro animó enemigos poderosos. A mediados del siglo XVIII el rey de Portugal los desterró de sus dominios. Lo mismo hizo Francia. Finalmente, en 1767 Carlos III ordenó la expulsión de la Compañía de Jesús de todas las colonias españolas. Trasladados como prisioneros y despojados de sus bienes, 4.000 jesuitas fueron deportados a conventos apartados de Europa. Tras su expulsión sobrevinieron saqueos e incendios. Pero las ruinas de sus misiones y reducciones en San Ignacio, Loreto, Concepción, Santa María y Santa Ana

aún se conservan. Treinta pueblos (la mitad en territorio argentino) llegaron a albergar más de 100 mil aborígenes. El primero fue San Ignacio Guazú, en 1609, seguido por San Ignacio Miní un año después. Una visita a estas ruinas estremece. El tamaño de la plaza de armas, la altura de los muros de los templos invadidos por la selva y los símbolos de la orden labrados en piedra habla de su poderío terrenal y espiritual. Por algo las rojizas misiones del verde montaraz son Patrimonio de la Humanidad.

One century after the discovery of America, the Jesuits advanced following a book and a cross. They erected missions and reductions at the heart of the wilderness. Their architecture achieved a high artistic refinement. A main square, several streets, and a few buildings found geometrical contention inside a stone wall. The baroque structures were enriched with Guaraní imagery. Angels, saints, virgins and Christs carved in polichromatic wood inhabited their red-stone temples. Behind the walls, they practiced a combined use of the land: the *abá-mbaé* or private use, for the Indian and the Indian's family, and the *tupá-mbaé* or God's farm, which produced common staples to maintain the authority, the school, the temple and the administration. The Jesuits' printing press was the first one in South America and so were many of the most prestigious schools and universities, some of which remain open.

It is easy to notice: in two centuries they built a kingdom which, like any other, gained powerful enemies. Around the middle of the 18th century, the King of Portugal banished them from his domains and so did the French King. Finally, in 1767 Charles III of Spain ordered the expulsion of the Society of Jesus from all the Spanish colonies. Driven out as prisoners and divested of all their belongings, 4,000 Jesuits were deported to secluded convents in Europe. After the Jesuits were thrown out, the missions were plundered and burned down. But the ruins of their missions and reductions in San Ignacio, Loreto, Concepción, Santa María and Santa Ana still exist. Thirty towns (half of them in Argentine territory) were home to more than 100 thousand natives. The first was San Ignacio Guazú, in 1609, followed by San Ignacio Miní a year later. A visit to these ruins is moving. The size of the main square,

the height of the temple walls invaded by the jungle and the order's symbols carved in stone all speak of their earthly and spiritual power. It is no wonder that the reddish missions in the green wilderness are a World Heritage.

Las misiones de Dios

GOD'S MISSIONS

El río macho

THE MALE RIVER

En guaraní Paraná significa *"pariente del mar"* y la visión de esa etnia sobre su dimensión no era disparatada. Su longitud (desde su nacimiento brasileño) es casi tan grande como la Argentina. Desde la confluencia de los ríos Paranaíbo y Grande recorre más de cuatro mil kilómetros para unirse al río Uruguay y desembocar en el de la Plata. Tan grande es que su trayecto se reconoce en tres tramos: el Alto Paraná (desde su naciente hasta la actual represa Yacyretá), el Paraná Medio (desde esa represa hasta casi el sur de la provincia de Corrientes) y el Paraná Inferior o Deltaico. Este último se ramifica entre una multitud de islas cubiertas por densa vegetación que semioculta las casitas sobre-elevadas de los isleños (veraneantes) e isleros (residentes). Esta gente vive de la madera obtenida de sus plantaciones de álamos y sauces, de la cosecha de nueces, cítricos y mimbre, de sus productos artesanales y del turismo. Su vida es rústica y se ajusta a los constantes pulsos de inundación, crecida y bajada del río, pero tienen escuelas, almacenes, ferreterías y lo básico para el abastecimiento, sin llegar a formar un pueblo. Es que no hay calles, por ejemplo, sino senderos. Tampoco automóviles o caballos: todo el traslado de un punto a otro es en bote o lancha. Pocos saben que, hasta el siglo XIX, estos parajes tan visitados por los turistas eran territorios del mayor felino de América: el yaguareté. Por eso la localidad y Municipio de Tigre lleva su nombre criollo. Y el vecino tramo conocido como el Paraná de las Palmas homenajea a las palmeras pindó que –aunque enrarecidas– ofrecen generosos racimos de bayas anaranjadas a las numerosas bandadas de loros y cotorras.

Si se remonta el Paraná río arriba se comprobará que corre veloz y caudaloso por sobre una meseta que tiene escasa pendiente. A veces, serpentea en la llanura, cambiando el rumbo y abandonando porciones de agua que formarán meandros o lagunas cerradas cubiertas de plantas acuáticas. Sobre sus islas y costas hay palmares y selvas en galería, resistiendo el desmonte. Sus famosas barrancas atestiguaron los asaltos de la tremenda Guerra Grande o de la Triple Alianza (1865-1870).

In the tongue of the Guaraní, Paraná means "relative of the sea" and the vision of this people about the river's size was not senseless. Flowing from its Brazilian source, it matches in length the whole Argentinian territory. From the confluence of the rivers Paranaíbo and Grande, it runs for more than four thousand kilometers, then joins the Uruguay River and finally flows into the Río de la Plata estuary. Its basin is so long that it is divided into three distinct sections: High Paraná (from the source to present-day Yacyretá Dam), Middle Paraná (from the dam to almost the south of the province of Corrientes), and Lower Paraná or Deltaic Paraná. This last portion branches out creating a myriad of islands covered by dense vegetation which half-hides the elevated houses of the summer tourists –'isleros'– and those of the locals or 'isleños.'

These people live on the wood obtained from their plantations of poplars and willows, on the harvest of nuts, citruses and osiers, their handicrafts and tourism. Their life is rustic and adjusted to the perpetual pulses of flood, high tide and low tide of the river; but they have schools, grocery stores, hardware stores, and the basic supplies, without forming a town. Indeed there are no streets, for example, but pathways. There are no cars or horses either: all traveling is done by row boat or motorboat. Few people know that, until the 19th century, this area, a favourite among tourists, was the territory of the largest feline in the American continent: the *yaguareté*, called 'tiger' by the *Criollos*. Such name has remained with us until today in the district and city of Tigre. The adjacent portion known as the Paraná de las Palmas pays homage to the now rare *pindó* palm trees, which offer generous bunches of orange berries to numerous flocks of parrots and parakeets. Upstream, the Paraná flows fast and swift on a slightly sloping tableau. Here and there, it winds through the plain, shifting direction and leaving behind portions that will form meanders or pools covered with water plants. On its islands and coasts there are palm groves and gallery forests that resist deforestation. Its famous crags witnessed the assaults of the terrible Great War or War of the Triple Alliance (1865-1870).

102 | 103

Hornos de carbón de leña, Río Muerto
CHACO.

Charcoal ovens, Muerto River
CHACO.

102 | **103**

Río Bermejo
CHACO.

Bermejo River
CHACO.

104 | **105**

Pampa del Indio
CHACO.

Pampa del Indio
CHACO.

Compañero infaltable

Pocas cosas son tan emblemáticas de la Argentina como el mate. Los guaraníes del litoral descubrieron la yerba mate y también sus usos. Ruiz Díaz de Guzmán atribuye a Hernando Arias de Saavedra, el descubrimiento del uso de las hojas de esta planta en 1592. Este las habría encontrado en las "guayacas", esos pequeños sacos de cuero donde el indio transportaba sus más preciados bienes. Los jesuitas, cuando levantaron sus misiones e incorporaron a esa gente, intercambiaron conocimientos, tomaron nota y tomaron mate. En 1821 el famoso botánico Aimé Bonpland describió el árbol de esta especie para la ciencia con un ejemplar cuyas hojas y flores herborizó en la isla Martín García. La costumbre de beberlo se extendió rápidamente por todo el territorio del Cono Sur y en 1903 se inició su cultivo (en San Ignacio), en reemplazo de su colecta de plantas de la selva. En modestas calabazas o en piezas de fina plata labrada la infusión pasó de mano en mano. Humildes, en el solitario rancho; opulentas, en las estancias. Acompañando soledades o alimentando reuniones. Recompensando la jornada trabajada o buscando respuestas a preguntas existenciales.

Tibio y humeante, amargo o azucarado, siempre cabe en una mano. A lo sumo, tres o cuatro sorbos mediante la bombilla y pasa de una mano a la otra, buscando compañero o cargando más agua. Un "gracias" al cebador –seguido por un "buen provecho" de este como respuesta– dará por finalizado esto que parece una ceremonia. Por eso no extrañará que el diálogo cambie de rumbo, que se acabe la reunión o que se retome una tarea interrumpida. Tal es el efecto del mate, la bebida de más del 80 % de los argentinos.

En Corrientes y Misiones, donde se concentra su cultivo se propone "La ruta del mate", para descubrir sus secretos, conocer los establecimientos rurales, los molinos yerbateros y el proceso de elaboración. Es que la infusión posee varios sabores y puede empezar a descubrirlos en la correntina localidad de Gobernador Virasoro para seguir hacia el norte hasta Leandro N. Alem en Misiones, pudiendo detenerse en Colonia Liebig, Santo Pipó y Apóstoles, donde se celebra la Fiesta Nacional de la Yerba Mate en los primeros días de noviembre.

Few things are as emblematic of Argentina as the mate. The Guaraní Indians, native inhabitants of the Mesopotamia or Littoral Region discovered the *yerba mate* as well as its diverse uses. Ruiz Díaz de Guzmán attributes to Hernando Arias de Saavedra the discovery of the leaves of such plant in 1592. He is said to have found them in the *"guayacas,"* those small leather bags where the natives transported their most cherished goods. When the Jesuits established their missions, incorporating and exchanging pieces of knowledge with the Guaraní people, not only did they take notice of the mate but they also tried it. In 1821, the renowned botanist Aimé Bonpland provided a scientific description of the shrub of this species with a specimen whose leaves and flowers he herborized on the Martín García Island. The habit of drinking it soon spread throughout South America. Until 1903, when it was first cultivated in San Ignacio, the leaves of mate were gathered from plants growing wild in the forest. The infusion passed from hand to hand in simple gourds or in fine pieces of worked silver. Humble in the *ranchos*, the lonely huts of the peasants and the *gauchos*; opulent in the *estancias*, the vast cattle farms of the landowners. Keeping company with loneliness or feeding a conversation; rewarding a hard day's work or looking for an answer to existential questions.

Warm and steamy, bitter or sweet, it always fits in a hand. Two or three sips through a straw, at most, and it passes from hand to hand, seeking a partner or refilling water. If you say "thank you," the *cebador* will answer *"buen provecho"* and will stop pouring mate for you, thus concluding this ceremony. And so it shouldn't come as a surprise if the dialog then shifts into a different direction, the meeting comes to an end, or the interrupted work is resumed. Such is the effect of mate, the beverage that more than 80% of Argentinians enjoy.

In Corrientes and Misiones, where *yerba* is grown, a good alternative is to take the "Route of Mate," to uncover its secrets, visit *yerba* plantations and mills, and learn about the elaboration process. The infusion offers several different flavours, which we can begin to discover in the town of Gobernador Virasoro, province of Corrientes, moving then towards the north, up to Leandro N. Alem in the province of Misiones, punctuating the journey with stops in Colonia Liebig, Santo Pipó and Apóstoles, where the National Festival of the Yerba Mate is celebrated on the first days of November.

106 | 107
Gato Colorado
SANTA FE.

Gato Colorado
SANTA FE.

108 | **109**
Plantación de girasol
SANTA FE.

Sunflower field
SANTA FE.

Reflejos del agua brillante

REFLECTIONS ON THE SHIMMERING WATER

Un bote alargado se desliza sobre la enorme laguna Iberá. Se abre paso inclinando las largas hojas de las plantas que bordean la costa de los famosos esteros. Un yacaré negro reposa mimético, como un tronco caído. La cabeza del mayor roedor del mundo, el carpincho, emerge tras hacer pie en la costa. Un picabuey se posa sobre su lomo mientras captura la atención de un joven ciervo de los pantanos. Sobre una de las costas, un palmar se recorta entre el horizonte. Las flores amarillas de las amapolas de agua se mecen sobre el vaivén de la superficie líquida. El estrepitoso salto de un dorado delata que está persiguiendo sábalos. Un cobrizo gallito de agua camina sobre hojas flotantes burlando la ley de la gravedad. Mientras tanto, un lobito de río nada –como si jugara– y cardúmenes de mojarritas saltan desesperadas para no caer presas de sus mandíbulas. Desde lejos se hacen escuchar las tropas de monos aulladores o carayá que se desplazan por el bosque chaqueño, de copa en copa. Guiados por un guardaparques que alguna vez fue cazador –como "Mingo" Cabrera o Don Molina– los turistas observan todas estas escenas con asombro. Cae el sol y enrojece la laguna. En Colonia Pellegrini hay un casamiento. Se suceden chamamés y uno que otro sapucai lanza su expresión de euforia arengando a los bailarines. El humo de un fogón pone a prueba el prestigio de un asador acalorado. Grillos, sapos y ranas corean. Los faroles que iluminan las calles de tierra del pueblo emulan sucursales de la Luna y una flota de escarabajos los revolotean enamorados. Una lechuza del campanario chista desde un árbol y un zorro se distrae. El ratón de campo aprovecha y se da a la fuga. Un embalsado, esa isla flotante llena de plantas, se desplaza por el viento durante la noche para engañar a la mañana a quien lo creyó inmóvil. Si uno no se detiene, los Esteros del Iberá parecen calmos y casi deshabitados, pero una modesta recorrida revelará la efervescencia de su vida, plasmada en una enorme cantidad de especies debajo o sobre el Iberá. Justamente, el significado de su nombre guaraní es "agua brillante". Y brillantes son los días para todos los que hasta allí se acercan.

An elongated boat glides by in the enormous Iberá Lagoon. It makes way slanting the long leaves of the plants that grow along the coast of the famous wetlands. A black *yacaré* caiman rests mimicking a fallen trunk. The head of the capybara –the biggest rodent in the world– emerges as soon as it sets foot on the coast. A cattle tyrant lies on the capybara's back, catching the eye of a young marsh deer. On one of the coasts, a palm grove stands out against the horizon. The yellow flowers of the water poppies sway on the rocking liquid surface. The loud leap of a dorado gives away its efforts in chasing shads. A copper jacana strides on the floating leaves, flouting the law of gravity. Meanwhile, a river otter swims, as if playing, and shoals of tiny fish leap about desperately trying to escape its jaws. From far away, we can hear the troops of *carayás* or howler monkeys stirring through the Chaco forest, from treetop to treetop. Following a park ranger who once was a hunter –like "Mingo" Cabrera o Don Molina– the tourists observe all these scenes filled with amazement. The sun dips and dyes the lagoon red. In Colonia Pellegrini there is a wedding. *Chamamé* after *chamamé* ring in the air and now and then a *sapucai* cry lets out its euphoria, boosting the spirits of the dancers. The smoke of a *fogón* puts to test the prestige of the sweltering *asador* in charge of the meat and the fire. Crickets, toads and frogs sing in chorus. The lamps that glow in the dirt roads of the town mock mirrors of the moon and a fleet of beetles swarm around them in their infatuation. A barn owl calls from a tree drawing the attention of a fox. A long-tailed field mouse takes advantage of the distraction to run away. An *embalsado* –that floating island overflowing with plants– drifts about, blown the wind in the night, to deceive those who thought it was still. If we do not take a moment to contemplate the landscape, the Iberá Wetlands may seem calm and almost desolate, but a simple tour into the wetland is all it takes to discover it is teeming with life, materialized in the countless species that dwell beneath or above the surface of the Iberá.
Precisely, the meaning of its name in Guaraní is "shimmering water". And shimmering are the days for all those who come up to it.

CENTRO TIERRA ADENTRO, CAMPO AFUERA

THE CENTRE INLAND, THE OPEN COUNTRY

Las huellas de los jesuitas

THE TRACES OF THE JESUITS

"Ad maiorem Dei gloriam" rezaba el lema de San Ignacio de Loyola, el fundador de la Compañía de Jesús. Y con ese lema sus legiones de jesuitas encararon la misión de evangelizar y educar en tierras americanas. La primera misión desembarcó en Buenos Aires en 1608. Poco tiempo después se estableció en la que hoy llamamos La Manzana de las Luces. Allí construyeron la barroca iglesia de San Ignacio de Loyola, el Colegio Máximo de San Ignacio y la sede del Procurador General de los Jesuitas, la autoridad que controlaba los bienes de la orden en todo el país. Gran parte de la manutención de sus misiones y colegios subsistía por la venta de mercaderías en este edificio. Y debajo de su patio había túneles cuya función se ignora, aunque se la vincula con el contrabando.

Lo cierto es que unían el Cabildo con el Fuerte, el Río de la Plata, otras iglesias y edificios claves de la ciudad.
Este era el esquema estratégico replicado por la orden. Por eso, en la Ciudad de Córdoba también había una Manzana Jesuítica que reunía la iglesia de la Compañía de Jesús (el templo argentino más antiguo), el Colegio de Montserrat (donde funcionó la segunda imprenta del Río de la Plata) y la Universidad de Córdoba, creada en 1613 (la segunda de América Latina después de la de Charcas).
Lógicamente esas instituciones requerían de recursos para sostenerse. Por eso, los jesuitas adquirieron establecimientos con vacunos, ovinos, mulas, caballos y cultivos. La estancia Jesús María, por ejemplo, elaboraba el exquisito "Lagrimilla", el primer

vino americano degustado en la mesa real de Felipe V.
Unos 250 km. de pintorescos caminos serranos hoy unen las estancias de Jesús María (una de las más bellas), Caroya (la más antigua), Santa Catalina (la más grande), La Candelaria (la más solitaria) y Alta Gracia (la de mayor actividad actual). Todas datan del siglo XVII. Son monumentos históricos nacionales y fueron declaradas Patrimonio Cultural de la Humanidad.

"For the greater glory of God" stated the motto of St. Ignatius of Loyola, founder of the Society of Jesus. And following this motto, his legions of Jesuits faced the mission of evangelizing and educating in American lands. The first mission disembarked in Buenos Aires in 1608 and, not long after this, settled in what is currently known as the "Block of Lights." There the Jesuits built the baroque church of San Ignacio de Loyola, the *Colegio Máximo de San Ignacio* and the seat of the Jesuits' *Procurador General* –the authority that controlled the possessions of the order countrywide. The order's missions and schools largely subsisted on the sales of goods that took place in this building. Under the courtyard there were tunnels whose function is still a mystery, although it has been linked to smuggling activities. What is certainly known is that they connected the *Cabildo* (City Hall) with

the fort, the *Río de la Plata* (River Plate), other churches and key buildings of the city.
This was the strategic scheme replicated by the order. Thus, in Córdoba City there was also a Jesuit Block which included the church of the Society of Jesus –the oldest temple in Argentina–, the *Colegio Montserrat* (where the second printing press of the Río de la Plata operated) and the University of Córdoba, created in 1613 (second in Latin America after the University of Charcas).
Logically, these institutions required resources to sustain themselves. Thus, the Jesuits acquired farms with cattle, sheep, mules, horses and crops. The *estancia* Jesús María, for instance, made the exquisite *"Lagrimilla"*, the first wine from the American continent that was tasted at the royal table of King Philip V of Spain.
Nowadays, about 250 kilometres of picturesque mountain roads join the *estancias* of

Jesús María (among the most beautiful ones), Caroya (the oldest), Santa Catalina (the largest), La Candelaria (the most solitary) and Alta Gracia (the most active culturally). All of these date from the 17th century. They are all national historical monuments and have earned the status of World Heritage Sites.

122 | 123

Estancia jesuítica Santa Catalina, Patrimonio Cultural de la Humanidad (UNESCO) CÓRDOBA.

Jesuitic Estancia Santa Catalina, World Cultural Heritage (UNESCO) CÓRDOBA.

124 | 125

Estancia jesuítica Santa Catalina, Patrimonio Cultural de la Humanidad (UNESCO) CÓRDOBA.

Jesuitic Estancia Santa Catalina, World Cultural Heritage (UNESCO) CÓRDOBA.

124 | **125**

Estancia jesuítica Caroya, Patrimonio Cultural de la Humanidad (UNESCO) CÓRDOBA.

Jesuitic Estancia Caroya, World Cultural Heritage (UNESCO) CÓRDOBA.

126 | **127**

Iglesia de San Pedro Viejo CÓRDOBA.

Church of San Pedro Viejo CÓRDOBA.

128 | 129
Quebrada de la Mermela
CÓRDOBA.

De la Mermela Gorge
CÓRDOBA.

130 | 131
Traslasierra, Cerro Champaquí
CÓRDOBA.

Traslasierra, Champaquí Mount
CÓRDOBA.

128 | 129

Sin imaginar que sería su último viaje, Juan Díaz de Solís descubrió el Río de la Plata en 1516 para nuestra civilización. Por sus características sobredimensionadas lo bautizó "Mar Dulce". Pasaron veinte años y el español Pedro de Mendoza fundó Nuestra Señora del Buen Ayre, pero en 1541 terminó arrasada por los indios. Tuvo que ser refundada en 1580 por Juan de Garay como La Santísima Trinidad y Puerto de Santa María del Buen Ayre. A partir de 1776 Buenos Aires fue la capital del Virreinato del Río de la Plata hasta 1810, cuando la Revolución de Mayo creó en ella el primer gobierno patrio. Tras un largo proceso se formó la República Argentina y centró aquí su capital. Enorme, polifacética y generosa, recibió personas de todo el mundo. Para mediados del siglo XIX más de la mitad de su población era extranjera. Por eso, los rasgos de los transeúntes siguen reflejando todas las combinaciones étnicas posibles. Algo similar ocurre con sus avenidas: exhiben el más amplio muestrario arquitectónico, con cúpulas glorificadas, templos de todos los credos, torres modernas y un obelisco que recuerda la fundación de la ciudad de mayor importancia cultural de América Latina. No es casual que reúna incontables monumentos, unos 80 museos, cerca de 30 bibliotecas públicas, más de 10 teatros de gran envergadura y una infinidad de cines. Gracias al paisajista francés Carlos Thays goza de bellísimos parques y lagos. Y cuenta, además, con una reserva ecológica de más de 300 hectáreas.

Frente a sus costas, el Almirante Guillermo Brown desplegó su afamado coraje y destreza naval en la Guerra de la Independencia. Y hasta el feroz acorazado "Admiral Graf Spee" halló la muerte entre sus aguas durante la Segunda Guerra Mundial. Pese a darle la espalda, el Río de la Plata sigue dando que hablar y hoy cobra vida en su Puerto Madero. Después de todo, Buenos Aires resume su historia en sus puertos. El de la Boca recibiendo a los adelantados españoles del siglo XVI. Puerto Madero, a los inmigrantes europeos durante los siglos XIX y XX. Y Retiro, a los turistas en este siglo XXI. Por eso, desde sus orillas se puede contemplar el mundo.

In 1516, without imagining that it would be his last journey, Juan Díaz de Solís discovered the Río de la Plata for the European civilization. Impressed by its vastness, he named it "Freshwater Sea." Twenty years later, the Spaniard Pedro de Mendoza founded *Nuestra Señora del Buen Ayre* but, after its complete devastation in 1541 by Indian raids, the town was refounded in 1580 by Juan de Garay and given the name of *La Santísima Trinidad y Puerto de Santa María del Buen Ayre*. Buenos Aires was the capital of the Viceroyalty of the Río de la Plata from 1776 to 1810, when the May Revolution established the first local government there. After a long process, the Argentine Republic was formed and fixed its capital in Buenos Aires. Enormous, versatile and generous, it has received people from all over the world. By the middle of the 19th century more than a half of its population was foreign and nowadays the features of passers-by still reflect all possible ethnic combinations. Something similar happens with its avenues: they exhibit the widest architectural range, with glorified domes, temples of all creeds, modern towers and an obelisk that reminds us of the foundation of a major cultural capital in Latin America. It is no coincidence, then, that it comprises innumerable monuments, about 80 museums, nearly 30 public libraries, more than 10 theatres of great magnitude and countless cinemas. Thanks to French landscape architect Charles Thays, it enjoys wonderful parks and lakes. Moreover, it includes a natural reserve area of more than 300 hectares.

Off the coast of the city, Admiral William Brown displayed his famous courage and naval skill in the Argentine War of Independence. And even the ferocious battleship *Admiral Graf Spee* found her death within its waters during World War II. Although Buenos Aires grew turning its back toward the river, this remained an outstanding part of the city, which now becomes alive in Puerto Madero. After all, the history of Buenos Aires is summarized by its ports: La Boca received the Spanish *adelantados* of the 16th century, Puerto Madero greeted the European immigrants during the 19th and 20th centuries and Retiro welcomes the tourists of this 21st century. For this reason, from the banks of the Río de la Plata we can contemplate the world.

La Reina del Plata

THE QUEEN OF THE RÍO DE LA PLATA

132 | 133
Puerto de Buenos Aires
CIUDAD AUTÓNOMA DE BUENOS AIRES.

Buenos Aires Port
AUTONOMOUS CITY OF BUENOS AIRES.

134 | **135**
Puerto Madero
CIUDAD AUTÓNOMA DE BUENOS AIRES.

Puerto Madero
AUTONOMOUS CITY OF BUENOS AIRES.

136 | **137**
Diagonal Norte
CIUDAD AUTÓNOMA DE BUENOS AIRES.

Diagonal Norte ('North Diagonal Avenue')
AUTONOMOUS CITY OF BUENOS AIRES.

136 | **137**
Avenida de Mayo y Diagonal Norte, Cabildo
CIUDAD AUTÓNOMA DE BUENOS AIRES.

Avenida de Mayo ('May Avenue')
and Diagonal Norte, Cabildo (City Hall)
AUTONOMOUS CITY OF BUENOS AIRES.

138 | **139**
Avenida Madero, Catalinas
CIUDAD AUTÓNOMA DE BUENOS AIRES.

Madero Avenue, Catalinas area
AUTONOMOUS CITY OF BUENOS AIRES.

A ritmo de tango

TO THE RHYTHM OF TANGO

En el siglo XIX surgió en la marginalidad, como sus creadores, acompañando la formación de conglomerados de casas precarias. En esos "conventillos" de Buenos Aires vivían provincianos, inmigrantes europeos y algunos porteños pobres o caídos en desgracia. Ellos formaron una clase social, buscando un lugar de pertenencia con identidad. Será por eso que cultivaron un lenguaje propio: el lunfardo, coherente con su filosofía de vida y entendible sólo por ellos. Esa dificultad para ser comprendido por otros públicos llevó al tango a sumergirse en sus suburbios. Primero se hizo escuchar el instrumental y con el bandoneón –a partir del 1900– hizo su mejor amistad. Luego vino la danza, inicialmente para hombres y en ambientes prostibulares. Allí, en expediciones nocturnas, lo descubrieron los jóvenes acomodados y fueron ellos quienes lo llevaron a París para regresarlo triunfante. Ese origen explica el modo obsceno de titular tangos viejos. Después, más recatado, se compartió con mujeres, alcanzando gran sensualidad. Así, desembarcó en los salones y cantado, con letras maduradas entre café y cigarrillos. Enrique Santos Discépolo, Homero Manzi, Celedonio Flores, Horacio Ferrer, Cátulo Castillo… eran los poetas diplomados en bares trasnochadores los que pusieron versos a los reveses que pocos podrían expresar, y menos cantando. Inmortalizaron las malas jugadas de la vida, una traición, el abandono de un amor o esos dolores que sólo podrían explicitarse de este modo para no perder hombría.

Carlos Gardel afamó títulos que permiten imaginarlos mejor: "Cuesta abajo", "La novia ausente", "Como abrazado a un rencor", "Por una cabeza", "No te engañes, corazón"…
El tango también ha tenido músicos notables, como Aníbal Troilo, Mariano Mores, Astor Piazzola y Osvaldo Pugliese. Todos ellos retrataron a Buenos Aires y su gente, como lo hizo su hermano artístico: el fileteado, que embelleció viejos carruajes, carteles, bares y colectivos, pincelados con volutas, cintas argentinas y personajes porteños. Por eso, el tango se ganó un lugar en el mundo como la expresión musical más argentina en el exterior. A tal punto que la voz de Gardel fue declarada Patrimonio de la Humanidad.

This music style was born during the 19th century in the underworld, like its creators, accompanying the formation of conglomerations of precarious homes. These "conventillos" housed people from the provinces, European immigrants, as well as some poor or fallen from grace Porteños, that is, natives of the city of Buenos Aires. They formed a social class, looking for a place, an identity, to belong to. Maybe that is why they cultivated a language of their own: the "lunfardo" (Buenos Aires slang), coherent with their life philosophy and intelligible only to themselves. Such difficulty being understood by other audiences led tango to immerse itself in the slum quarters. At first, it reached people's ears in its instrumental form and since 1900 the acordeón or tango accordion has been its best friend. Then, along came the dance, initially for men and in an environment of brothels. There, in nocturnal expeditions, it was discovered by well-off young men who, in turn, took it to Paris to bring it back triumphant. This origin explains the obscene way in which old tangos were entitled. Later, more modest, tango was shared with women, reaching great sensuality. Thus it disembarked in the ballrooms, this time with sung lyrics that matured among coffee and cigarettes. Enrique Santos Discépolo, Homero Manzi, Celedonio Flores, Horacio Ferrer, Cátulo Castillo… They were the qualified poets that in late-night bars put in words the misfortunes that very few could express, let alone by singing. They immortalized the dirty tricks of life –a betrayal, a forsaken love, or those grievances that could only be stated explicitly in this way without losing manliness. Titles that were made famous by Carlos Gardel allow us to imagine them better: "Cuesta abajo" ("On the Skids"), "La novia ausente" ("The Absent Girlfriend"), "Como abrazado a un rencor" ("As if Embracing a Feeling of Rancour"), "Por una cabeza" ("By a Head"), "No te engañes, corazón" ("Don't Fool Yourself, Oh Heart")…
Tango also has had outstanding musicians such as Aníbal Troilo, Mariano Mores, Astor Piazzola y Osvaldo Pugliese. They all portrayed Buenos Aires and its people. And so did the artistic brother of tango, the fileteado, which embellished old carriages, store signs, bars and buses, all brush stroked with volutes, blue and white Argentine ribbons, and typical characters of Buenos Aires. All this earned tango a place in the world as the most Argentine musical expression. To such extent it is so, that the very voice of Gardel has been declared a World Heritage.

Obelisco,
Avenida 9 de Julio
CIUDAD AUTÓNOMA DE BUENOS AIRES.

Obelisk,
9 de Julio Avenue
AUTONOMOUS CITY OF BUENOS AIRES.

Plaza Dorrego, Caminito y El Viejo Almacén
CIUDAD AUTÓNOMA DE BUENOS AIRES.

Dorrego Square, Caminito and El Viejo Almacén
AUTONOMOUS CITY OF BUENOS AIRES.

El jinete de las pampas

THE RIDER OF THE PAMPAS

"Soy gaucho, y entiendaló
como mi lengua lo esplica
para mí la tierra es chica
y pudiera ser mayor
ni la víbora me pica
ni quema mi frente el sol."
José Hernández

Su mundo no conocía mapas ni límites. Era puro horizonte. No supo de leyes escritas, pero tenía códigos. Sus vecinos, más bien hostiles. Cuando mejor, indiferentes, pero siempre lejanos. Andaba con lo puesto, montado sobre un caballo y seguido por un perro flaco. Si tuvo "china" o hijos nadie lo sabe. Si tuvo rancho debió ser rústico, como su carácter. Tal vez se hizo tapera. Un facón, dos o tres boleadoras y un lazo de cuero trenzado eran su equipaje esencial.

Trabajaba cuando y como quería, en domas, arreos o yerras. A veces, oficiando de baqueano o conduciendo carretas. Si había guitarra improvisaba y cuando el duelo no era a cuchillo lo resolvía con una payada. Mate y ginebra tampoco faltaban. Galopó mientras pudo, hasta que se vino el alambrado cuando corría el año 1845. Le fue cercando su libertad y se figuró una agonía cuando ese gringo le puso freno. Más tarde vino la guerra de fronteras con el indio y se lo llevó la milicia para usarlo como "carne de cañón". Por conveniencia lo acusaron de vago, cuatrero, matrero, retobado, malhechor... Y después de usarlo, el Gobierno lo olvidó. Como si su calvario no fuera suficiente, el progreso lo persiguió. No sea cosa que ande suelto. Y de eso habló mucho

El Gaucho Martín Fierro, poniendo voz a la pluma de José Hernández, en 1878. Como nadie él lo entendió y a los cuatro vientos lo defendió a través del libro argentino más traducido en el mundo. Pero el gaucho cambió poco a poco, mutó y hasta pareció esfumarse en la pradera. Pero sobrevivió... Cuando ya lo daban por perdido, heredó lo mejor de sí al peón de campo, su nueva generación. Por eso, todavía "gaucho" es sinónimo de hombre criollo, recto y de honor. Y "gauchada", para un argentino, es una obra de bien o un favor.

"I'm a gaucho, you'd better understand
In the way my tongue explains
Small I find the land
And greater could be the plains
I don't get bitten by the snake
and the sun don't burn my face"
José Hernández

His world did not know maps or limits. It was all horizon. He did not know about written laws, but he did have codes. His neighbours were rather hostile, indifferent at best, but always remote. He would ride on his horse with nothing but the clothes he was wearing, followed by a skinny dog. If he had a *china* or children, nobody knows. If he had a *rancho*, it must have been rustic, like his character. Perhaps it became a ruined *tapera*. A knife called *facón*, two or three *boleadoras* and a braided-leather lasso were his essential luggage. He worked

when and how he wanted, in horse-breaking, cattle-driving or branding. Sometimes, acting as a guide or driving carriages. If there was a guitar, he would improvise and when the duel was not with knives he would solve it rhyming verses in a *payada*. He could always count on *mate* or gin. He galloped while he could, until the wire fence appeared around 1845. Gradually surrounded by wire, he felt agony when the gringo curbed his freedom. Later, in the frontier war against the Indian, the military used the gaucho as cannon fodder. He was conveniently accused of idleness; he was called a rustler on the run from the law, a rebel, a wrongdoer... And after using him, the government forgot him. To make his misery worse, progress persecuted him. So he would not be wandering about. *El Gaucho Martín Fierro* rose his voice in 1878 to speak of all these matters through the pen of José

Hernández, who understood and defended the gaucho to all and sundry by means of the most translated Argentine book in the world. However, the gaucho changed little by little, mutated and even seemed to vanish in the plains. And yet he survived…
When they had already given him up for lost, he passed on the best of himself to the agricultural labourer, his new generation. For this reason, the word *"gaucho"* is still a synonym of *Criollo*, an upright and honourable man, and *"gauchada"*, for an Argentine, stands for a good deed or a favour.

152 | 153

General Lavalle
BUENOS AIRES.

General Lavalle
BUENOS AIRES.

152 | 153

CENTRO TIERRA ADENTRO, CAMPO AFUERA

THE CENTRE INLAND, THE OPEN COUNTRY

Sobre un "mar de pastos" se emplazó lo que más tarde dio en llamarse "el granero del mundo". Paradójicamente, en otros tiempos se lo llamó "el desierto" y para muchos sigue resonando su nombre más indio y profundo: pampa. Manadas de vacunos poblaron sus campos y siguen ocupando un lugar protagónico en la cultura argentina. Estancias enormes con vacas pastando se alternan con campos de trigo, maíz, girasol y soja. Entre los paisajes domesticados estos son los más emblemáticos de esta región del país. Estas actividades se expandieron notoriamente, arrinconaron los pequeños parches de pastizales originales donde todavía corren tropas de ñandúes y se escabullen las perdices. Donde se esconde el zorro y excava

el peludo. Donde sobreviven los últimos venados de las pampas.

Cantan dos horneros. Un tractor pasa el arado y cientos de gaviotas se lanzan sobre los surcos abiertos, para capturar a los sorprendidos bichos subterráneos. Una lechucita de las vizcacheras lanza su graznido sobre un poste de alambrado mientras los peones chiflan a sus perros para encolumnar el arreo. De lejos brilla un silo plateado, donde se recluirán los granos cosechados. A los costados de la ruta pastan las distintas razas de vacunos. Desde los colorados *Shorthorn* y los *Aberdeen Angus* negros hasta los *Hereford* de cara blanca y las vacas Holando-argentinas, manchadas de blanco y negro, y famosas por su rinde de leche. De lejos, se oye una tropilla de caballos

siguiendo a su yegua madrina, que con su cencerro recuerda la infancia en la escuela rural. En el tambo, un joven termina de ordeñar al pie del ternero. El sol comienza a rodar por la llanura y se desangra el día. La jornada termina.

Over a "sea of grass" was established what later came to be known as "the barn of the world". Paradoxically, in other times the same place was called "the desert" and to many people, its most Indian and profound name still resounds: pampa. Herds of cattle populated its fields and still play a central role in Argentine culture. Cows grazing in enormous estancias alternate with wheat, corn, sunflower and soy fields. Among the tamed landscapes, these are the most emblematic of this region of the country. Agriculture and stockbreeding have expanded remarkably, cornering the little patches of original grassland where troops of rheas still run around and partridges slip away in the grass, where the fox hides away and the armadillo digs, where the last deer of the pampas survive.

Two horneros sing. A tractor ploughs to and fro and hundreds of gulls dive into the open furrows, to catch the surprised subterranean bugs. Perched on a wire fence post, a little burrowing owl squawks while the labourers whistle so their dogs so will guide the drove. A silver silo where the harvested grains will be stored glitters in the distance.

Different breeds of cattle graze on both sides of the road. From the red Shorthorn and the black Aberdeen Angus to the white-faced Hereford and the black-and-white-patched Holando-Argentina cows, famous for their high milk productivity.

From a distance, we can hear a herd of horses following their leading mare, and the clanging of her cowbell reminds us of childhood in a rural primary school. In the diary farm a

young lad finishes milking, very close to the calf. The sun starts to roll over the prairie and the day bleeds to death. The day is over.

Estancias, tambos y graneros

ESTANCIAS, DAIRY FARMS AND BARNS

Horizontes lejanos
FAR HORIZONS

La mayor parte de la Patagonia es una estepa. Se trata de un reino de mesetas y llanuras cubiertas por un manto de piedras. Sólo crecen pastos, arbustos y matas. Algunas grises, otras verdes y también amarillentas. Está bien claro: hay aridez y lejanía. Una tropilla de guanacos galopa sin llegar a estampida. Un puma sigiloso observa, atento, desde su guarida. Bandadas de cauquenes remontan vuelo sorpresivo. El despegue parece una huída. Un águila mora planea, como supervisando, en recorridas. Pero la estepa luce más despoblada que antes, por esos asuntos que pocos explican.

Tiempo atrás había muchos tehuelches en las tolderías. Hasta que llegaron los araucanos y los fueron corriendo, más lejos todavía. Pero también vino el "huinca". Y a los dos los batió en la misma partida. Después, anunció poblarla. De golpe vino una repartija. Hubo tierras, alambrados, petróleo y lana ovina. Pero dicen que cayó el precio de la lana, que hay mal tiempo, que no hay llovida… Entonces va quedando poca gente caminando sobre la estepa. ¿Será por eso que se la nota más fría?

Mirando los horizontes ya no hay tehuelches. ¡La estepa está vacía! Pero nos dejaron sus manos pintadas como recuerdo, reproche o vaya a saberse qué tipo de mensajería. Sólo camina el guanaco, huyendo como de una partida. Hasta el zorro está más esquivo, envidiando la suerte del que ya cuenta con un refugio entre la roca viva.

Ahora, se les da por sacarle minerales, como si fueran sus tripas. Y sigue habiendo pocas escuelas, bibliotecas, hospitales, parques nacionales, museos y obras lindas. Son vaivenes de una patria, siempre lejana, olvidadiza… Cada uno sigue en su rancho, mirando ombligos, pensando zoncerías. Se piensa sólo en la conveniencia propia. Pocas veces, en todo lo que la comunidad necesita. Si tan sólo se pudiera amalgamar hombrías… cuánta sangre derramada se habría ahorrado la Patagonia mía.

Most of Patagonia is a steppe. It is a kingdom of plateaus and plains covered by a layer of stones. Only grass, shrubs and thickets grow on it. Some are grey; others are green and also yellowish. Aridity and distance are undeniable. A herd of guanacos gallops without stampeding. A stealthy puma watches carefully from its lair. Bands of ruddy-headed geese, or cauquenes, soar up in a sudden flight. A black-chested buzzard-eagle glides around, as if supervising the scene. But the steppe looks more desolate than before, because of certain events that are not completely explained.

Long ago, in remote tolderías, many Tehuelches used to live, until the Araucanos came and pushed them farther still. But then came white men, "huincas," and defeated them as well. White men then spoke of populating the steppe. At once, they divided land with wire fence. Along came oil, sheep, wool and estates. But now they say the price of wool has fallen, what with the bad weather, there is no rain… And fewer and fewer are those who still tread on the steppe. Maybe that's the reason that a deeper cold now reigns …

As you gaze at the horizons, the Tehuelches are gone. The steppe is deserted! But they have left us their painted hands as a reminder, a reproach, or some sort of message, who knows…. Only the guanaco keeps walking, as if fleeing from a loss. Even the fox is more elusive and envies the fortune of those who have found refuge within the living rock.

Men have taken to digging out minerals, now they rip the ground's entrails. And there are still few schools, libraries, hospitals, national parks, museums and good works. These are the ups and downs of a nation, always distant with its forgetful mind… Everyone thinks of their own convenience; they seldom think of common needs. Everyone in their own ranchos, daydreaming, too busy wasting time… If only all men could amalgamate their courage… how much bloodshed they might have spared you, oh, Patagonia of mine.

168 | 169
Tropilla,
Estancia San Carlos
LA PAMPA.

Herd,
Estancia San Carlos
LA PAMPA.

170 | **171**
Arreo,
Estancia La Blanca
LA PAMPA.

Driving the flock,
Estancia La Blanca
LA PAMPA.

172 | **173**
Estancia La Blanca
LA PAMPA.

Estancia La Blanca
LA PAMPA.

174 | 175

Salina Colorada Grande
LA PAMPA.

176 | 177

Alto Valle del Río Negro
RÍO NEGRO.

178 | 179

Río Kilca
NEUQUÉN.

Colorada Grande Salt Flat
LA PAMPA.

'Alto Valle del Río Negro'
RÍO NEGRO.

Kilca River
NEUQUÉN.

Entre San Carlos de Bariloche y San Martín de los Andes siete lagos se encuentran rodeados de bosques y montañas con cumbres nevadas. En estos territorios vivieron los *vuriloches*. Esa "gente del otro lado de la montaña" (tal lo que significa en lengua mapuche) legó su nombre a la ciudad. Bariloche abreva sobre la orilla del enorme lago Nahuel Huapi, donde está el homónimo y enorme parque nacional. Aguas cristalinas, profundas y frías se presentan como un dulce y ramificado mar. No extraña que le atribuyan albergar –en su prehistórica y actual guarida– seres fantásticos o mitológicos como el "Cuero del agua" y "Nahuelito". Por eso, sobre sus supuestas apariciones siempre hay nuevas referencias alimentadas más por la imaginación popular que por evidencias científicas. Más veraz, sin embargo, es el concepto de paraíso para los pescadores. Cualquiera de ellos soñaría con amanecer sobre su playa. Allí seguramente probarían suerte lanzando una mosca para dejarla caer suavemente sobre el agua tiesa, hecha espejo. Para ellos sería maravilloso –en ese momento de calma que precede a la tensión– ver como emerge una voraz trucha para atacar su falsa presa, saltando furibunda para liberarse del anzuelo, luchando por su fuga…

No muy lejos entre sí, se recuestan sobre la vecina Cordillera andina varios parques nacionales: Lanín, Nahuel Huapi, Los Arrayanes, Lago Puelo y Los Alerces. Ellos suman sus bosques, estepas, lagos, ríos y montañas para moldear un paisaje de ensueño.

Los legendarios volcanes de copas blancas hacen contrapunto con las viejas araucarias. Fríos ríos glaciales serpentean veloces, dando bebida a las sedientas raíces de los milenarios alerces. En la frondosa selva valdiviana sigue lloviendo y un pudú se sumerge en la densidad de un cañaveral. Cada poblado está lejos del otro y hasta un trencito lo recuerda a los pobladores con sus señales de humo. Por eso, contradictoriamente, mientras se aleja del que despidió se aproxima al que le dará su bienvenida.

Between San Carlos de Bariloche and San Martín de los Andes, there are seven lakes surrounded by forests and mountains with snowy peaks. In these grounds lived the Vuriloches. Those "people from the other side of the mountain" (such is the meaning of "Vuriloche" in Mapuche tongue) gave Bariloche its name. The city lies by the great Nahuel Huapi Lake, in the enormous and homonymous national park. Clear, deep and cold waters resemble a freshwater sea with many arms. It is no wonder that the lake is believed to be the lair of fantastic or mythological beings from primeval or present times, such as the *"Cuero del agua"* and *"Nahuelito."* As it turns out, new reports about its purported appearances always rest more on popular imagination than on scientific evidence. More realistic is fishers' concept of heaven. Any of them would dream of standing on the lake's beach when day breaks. They would surely try their luck casting a fly and watching it fall softly on the mirror of still waters. It would be wonderful for them –in that moment of calm that precedes tension– to see a voracious trout emerge to attack its false prey, leaping furiously in an attempt to rid itself from the hook, fighting to escape…

Not very far from one another, several national parks lean on the nearby Andean Mountain Range: Lanín, Nahuel Huapi, Los Arrayanes, Lago Puelo and Los Alerces. They contribute their forests, steppes, lakes, rivers and mountains to create a breathtaking landscape. Legendary volcanoes with white summits play a counterpoint with old araucarias. Cold glacial rivers wind swiftly, watering the thirsty roots of millenary Patagonian cypresses. Rain falls steadily in the lush Valdivian forest, and a *pudú* plunges into the density of a cane grove. Each hamlet is far from the rest and even a modest train, sending smoke signals, reminds the inhabitants of their remoteness. And, contradictorily, while it leaves one village behind it approaches another that is ready to welcome it.

Del otro lado de la montaña

ON THE OTHER SIDE OF THE MOUNTAIN

Emerge una cabeza negra con manchas blancas y callosas. En este mar inspira emoción. En tiempos medievales el mismo encuentro sólo podía impartir una cosa: horror. Las ballenas que hoy consideramos angelicales fueron ayer monstruos marinos, seres de terror. Entre un tiempo y el otro sólo medió la ciencia y la comprensión. Por eso, antes se las aprovechaba con arpones y ahora, con su contemplación.

Desde tiempos inmemoriales, atraviesan el Atlántico, año tras año, para llegar a la Península Valdés entre el otoño y la primavera. Para la Argentina es una fiesta. Barcos con turistas las esperan. Desde la costa, grandes y chicos están expectantes. Detrás de cada ola, anhelan una sorpresa, un avistaje… y hasta late más seguido el corazón.

Cientos de ballenas francas australes viajan hacia la tranquilidad de estas aguas para reproducirse. Dos machos y una hembra se aparean. El acto parece una violación. Un año después nace el ballenato, pesando casi diez toneladas (mucho más que un elefante africano adulto). Su madre lo amamanta bajo el agua y él no se despega de ella. Crece y crece. Juega y da golpes a la superficie del agua con su cola o batiéndola con sus aletas. Llega el verano y todas –como vinieron– se van. "Aquí las estaremos esperando", piensa más de uno que no se atreve a llorar.

Quince metros mide cada mole, igual que el extinto *Tyranosaurus rex*. Cercana a las 50 toneladas, iguala a una de las carabelas de Colón. Épica como aquellas, sigue su

rumbo. En 1984 la Argentina la declaró su primer Monumento Natural.

Más grande que la porción argentina de hielos continentales y también, que el área conurbana de Buenos Aires, la Península Valdés –desde 1999– es Patrimonio de la Humanidad. Además de las ballenas, ofrece otros maravillosos atractivos para ver: estepas con guanacos, pumas y choiques, lobos marinos en Punta Pirámides, colonias de aves marinas en Isla de los Pájaros, harenes de elefantes marinos en Caleta Valdés, desafiantes orcas en Punta Norte y, como si fuera poco, un ámbito ideal para bucear en Punta Pardelas. Pocos lugares son de esta magnitud natural.

A black head with white callous spots emerges from the sea. Nowadays such an encounter inspires emotion but in medieval times it could only raise horror. The angelic whales of today were the sea monsters, the terrifying beings of the past. Only science and understanding bridged the distance between one time and the other. Long ago, whales used to be harpooned; now, they are contemplated.

For time out of mind, these titanic beasts have been crossing the Atlantic, year after year, to reach the Valdés Peninsula between autumn and springtime. To Argentina, their arrival is a time of joy. Off the coast, tourist boats anticipate the welcome. On the coast, old and young search the horizon for a sign of them. Behind every wave, they hope to find a surprise, to catch a glimpse… and even the heart speeds its beat. Hundreds of southern right whales travel toward the tranquillity of these

waters in order to breed. Two males and a female mate. The act looks like a rape. One year later, the almost ten-ton calf is born (much heavier than an adult African elephant). The baby suckles under water and sticks with its mother. It grows and grows. It plays and hits the surface of the water with its tail or beats it with its fins. The summer comes and, just as they came, all of them go away. "We'll be here waiting for you," think some of the watchers holding back their tears.

Each of these behemoths is fifteen metres long, just like the extinct *Tyranosaurus rex*. Its weight nears the 50 tons, like one of Columbus' caravels. As epic as those vessels, whales follow their course. In 1984, Argentina declared them its first Natural Monument.

Larger than the Argentine portion of the continental ice sheet and also than the outskirts of Buenos Aires City, the Valdés Peninsula has

been a World Heritage since 1999. Along with the whales, many other wonderful attractions are worth seeing: steppes inhabited by guanacos, pumas and *choiques*, sea lions at Pirámides Point, colonies of seabirds on the Birds Island, harems of elephant seals in Valdés Cove, defying orca whales at Norte Point; moreover, an ideal environment to go scuba diving at Pardelas Point. Few places have such natural magnitude.

Colosos del mar

A COLOSSUS OF THE SEA

El famoso Glaciar Perito Moreno desciende al pie de la Cordillera de los Andes, como un río congelado en milenios, con 30 kilómetros de largo y una superficie tan grande como la Ciudad de Buenos Aires (200 km²). Avanza sin prisa, pero sin pausa. Son dos metros por día, con un frente de cuatro kilómetros y una altura –por sobre el agua– como la del Obelisco porteño (70 metros). A intervalos irregulares de años, su avance termina cerca del bosque, contra la costa y bloqueando el canal de los Témpanos. De ese modo evita que el agua circule entre los brazos del Lago Argentino. A modo de helada represa, acumula las aguas de los brazos sureños a un nivel de hasta 30 metros de altura. Pero semejante volumen ejerce una presión tal que el hielo comienza

a socavarse y fracturarse. El agua empieza a filtrarse y el pequeño chorrito se hace corriente furiosa que baja abriéndose paso hacia el lago. Forma un túnel de medio centenar de metros y se va erosionando –en cuestión de escasos días– hasta desplomarse. Es entonces cuando enormes bloques de hielo, grandes como edificios, se derrumban, produciendo olas, témpanos y estridencias comparables con truenos. Ese es el famoso "rompimiento", uno de los espectáculos más gloriosos de la naturaleza. Pero este glaciar no está solo: hay unos 200. Por eso el parque nacional se llama "Los Glaciares" y muchos de ellos (como Moyano, Onelli, Spegazzini y Ameghino) recuerdan a los exploradores y científicos de una generación notable: la del 80 del siglo XIX.

Aquí, coinciden nombres con hombres. La historia los unió hasta en la geografía. Sucedió que Francisco Pascasio Moreno, perito en asuntos geográficos, fue asistido por el naturalista Clemente Onelli, su compadre. Lo mismo Carlos María Moyano, su topógrafo. Con Florentino Ameghino compartió el Museo de Ciencias Naturales de La Plata. Carlos Spegazzini, botánico que fue pionero en la región austral, fue uno de los jefes del museo fundado por él.
Moreno tuvo el privilegio de dar nombre al Lago Argentino, inspirándose en el celeste de sus aguas. El glaciar más emblemático del mundo lleva su apellido.

The renowned Perito Moreno Glacier descends at the foot of the Andean Range like a river that has been freezing for millenniums, 30 kilometres long and with an area of 200 km², as large as that of Buenos Aires City. It advances slowly but surely. Two metres a day, with a front of four kilometres and a height of 70 metres –above the level of water– that matches the *porteño* obelisk.
At irregular intervals of years, its advance ends near the forest, against the coast and blocking the channel of the Iceberg Channel. This way it prevents the circulation of water among the arms of the Argentinian Lake. Acting as a frozen barrier, it accumulates the waters from the southern arms at a level of up to 30 metres of height. But this volume exerts so great a pressure that ice begins to erode and fracture. Water begins to filter and the little trickle becomes a furious current

that falls down making way toward the lake. It digs a tunnel of 50 metres and, in a matter of a few days, undermines the ice until it collapses. Then, enormous blocks of ice, as large as buildings, come tumbling down, raising waves and icebergs with a roar that is comparable to thunder. This is the well-known "break-up," one of the most glorious events in nature.
However, as the name "The Glaciers" suggests, the Perito Moreno is not alone in this park, which boasts around 200 glaciers. Many of them remind us of explorers and scientists who belonged to the illustrious generation of the 1880s –Moyano, Onelli, Spegazzini and Ameghino among them.
Here names and men coincide. History merged them even in the geography. In fact, Francisco Pascasio Moreno –an expert or *perito* in geographical matters– was assisted both by his

close friend, naturalist Clemente Onelly, and by Carlos María Moyano, his topographer. With Florentino Ameghino, Perito Moreno shared the *Museo de Ciencias Naturales de La Plata*. Carlos Spegazzini, a botanist who was a pioneer in the southern region, was one of the heads of the museum founded by Moreno. Perito Moreno had the privilege of naming the Argentinian Lake, inspired by the blue of its waters. Furthermore, the most emblematic glacier in the world is named after him.

El enigmático río de hielo

THE ENIGMATIC RIVER OF ICE

Donde termina el mapa

WHERE THE MAP ENDS

Cinco siglos atrás, atravesando mares con aparentes monstruos, intrépidos navegantes pusieron proa a tierras ignotas. Traspasaron los límites conocidos de sus mapas y en el fin de ese mundo, luminosas fogatas sugirieron un nombre que se perpetuó en una isla mística: Tierra del Fuego.

Paradójicamente, esa tierra temible ahora atrae a miles de turistas. Tal vez, buscando revivir las páginas de esas aventuras, pasajes de su historia o las fantasías de sus leyendas. Entre las capitales de las provincias argentinas, Ushuaia no se parece a ninguna. Su paisaje, su entorno natural y sus edificios más emblemáticos parecen acuarelas de un cuento. Todavía quedan esas casas con ventanales grandes y muy divididos, de paredes coloridas de madera y techos de chapa.

Sobre la costa del canal Beagle, entre cerros nevados y bosques densos parpadean de noche y colorean de día. Sus antiguos pobladores ya no están. Y no hace mucho que se fueron. Hubo pioneros de toda laya. Algunos, con Biblia en mano. Otros, sólo con la enferma ambición. Como en todo escenario histórico, hubo quien ofrendó su vida por el bien del prójimo y también anduvo por ahí el que por oro la quitó. Restos de naufragios reposan en sus costas, rememorando un feliz final, que no se dio. Un tren pasea turistas inocentes por el bosque. En el pasado, temibles presos el mismo vagón llevó. De lejos se ven unos trineos tirados por perros. Más allá, veleros amarrados en el puerto. Sobre la avenida, autobuses que esperan. En la mañana fría, los caballos

resoplan y su aliento humea. Lucen ansiosos por marchar eludiendo las turberas. Es fácil soñar en esta isla y difícil vivir para siempre en ella. Sus días pecan por extensos y sus noches, por abreviadas. Por eso, cada 21 de junio se celebra la noche más larga del año. Entre la nieve, se enarbolan antorchas y con ellas se desciende hasta el corazón de Ushuaia, para escuchar su música y beber algo que entibie el cuerpo. Compitiendo por el protagonismo, el vecino faro Les Eclaireurs, solitario y valiente, señala desde un islote los confines donde el mundo verdadero comienza. Es ahí: en Tierra del Fuego donde se encienden emociones en el corazón de quien viaja.

Five centuries ago, through seas that seemed infested with monsters, brave sailors pointed bows to unheard of lands. They crossed the limits of their maps and in the end of the known world, they saw bright bonfires which suggested a name that became perpetuated in a mystic island: Tierra del Fuego, "the Land of Fire."

Paradoxically, this frightening land now attracts thousands of tourists. Perhaps, they seek to revive the pages of such adventures, passages of the island's history or the fantasy of its legends. Ushuaia is unique among all Argentine capitals. Its scenery, natural environment and most typical buildings, look like watercolours in a story book. There are still old houses with great parted windows, colourful wooden walls and corrugated iron roofing. They twinkle in the night and flash their colours in the day along the banks of the

Beagle Channel, among snow-covered peaks and dense forests. The island's earlier inhabitants are gone. They lived here until not so long ago. There were pioneers of all sorts. Some came holding a Bible; others, only sick ambition. As in any historical scenery, there were those who offered their lives for the sake of their fellow humans as well as those who took lives away for the sake of gold. Remains of shipwrecks lie on the coasts, dreaming of happy endings that never happened. A train takes innocent tourists through the forest. In the past, scary convicts were carried by the same wagon. In the distance, we can make out a sleigh pulled by dogs; beyond, sailboats moored in the port; buses waiting on the avenue. In the cold morning, horses snort their smoky breath. They look anxious to march avoiding the *turberas*. On this island, dreaming is easy and living one's whole

life here is hard. Days are too long and nights, too brief. For this reason, every 21st of June, Fueguians celebrate the longest night in the year. Holding flaming torches, they come down amid the snow to the heart of Ushuaia, to listen to their music and drink something that may warm up their bodies. Competing for a leading role, the nearby Les Eclaireurs Lighthouse, bold and solitary, points from an islet to the end or the beginning of the real world. It is here, in Tierra del Fuego, where the emotions light up in the heart of the traveller.

Glosario

GLOSSARY

NORTE

Algarroba: fruto comestible del algarrobo (el árbol más importante de la región).

Apacheta: montículo casi piramidal de piedras a modo de altar para la Pachamama.

Aloja: bebida dulce, sin alcohol, elaborada con algarrobas.

Anata: instrumento musical de viento, propio del altiplano.

Chañar: árbol xerófilo, de mediano porte y corteza verde.

Charango: instrumento musical de cuerdas, propio del altiplano.

Chicha: bebida alcohólica elaborada con algarrobas fermentadas.

Chola: mujer del colla.

Churqui: también llamado espinillo. Árbol xerófilo, de mediano porte y flores amarillas muy perfumadas.

Coquena: Dios legendario protector de la fauna puneña.

Erke: instrumento musical de viento elaborado con una larga caña que remata con un cuerno, típico del altiplano

Erquencho: instrumento musical de viento, propio del altiplano.

Guagua: niños, hijos pequeños. También "huahua".

Pirca: pared o cerco construido con piedras.

Quena: el más común de los instrumentos de viento puneños, herencia incaica.

Quéñoa: el árbol más importante de las quebradas, de madera muy apreciada. Está amenazado de extinción.

Quirquincho: armadillo.

Siku: instrumento musical de viento, parece una flauta de pan con cañas.

Suri: ñandú petiso de la Puna.

Tola: arbusto muy apreciado por su uso como combustible.

Tulpo: comida caliente, típica de la Quebrada de Humahuaca.

Yareta: planta que crece como cojín, muy compacta, verde y llamativa.

CUYO

Chuña: ave corredora de buen tamaño. Recuerda a un correcaminos.

Mara: mamífero conocido como liebre patagónica, pero presente también en esta región.

Muña-muña: planta de valor medicinal, famosa por creerla afrodisíaca.

LITORAL

Bombilla: tubo metálico, delgado y hueco, con el extremo inferior perforado que permite succionar el mate, filtrando el líquido de la yerba.

Chamamé: danza y expresión musical emblemática del litoral. El instrumento fundamental para su ejecución es el acordeón a piano o "verdulera".

Estancia: en el campo argentino, una unidad productiva de gran extensión, limitada por alambrados. Tradicionalmente, dedicada a la ganadería y, más recientemente,

NORTH

Algarroba (carob bean): edible fruit of the algarrobo or carob tree, the most important tree in the region.

Apacheta: pyramid-shaped mound of stones that serves as a shrine for Pachamama.

Aloja: soft sweet drink elaborated with algarroba.

Anata: wind instrument, typical of the Puna.

Chañar: medium-sized xerophilous tree with green bark.

Charango: string instrument, typical of the Puna.

Chicha: fruit liquor made from fermented algarroba.

Chola: Colla woman.

Churqui: also known as espinillo. Medium-sized xerophilous tree with very fragrant yellow flowers.

Coquena: mythological god who protects the fauna of the Puna.

Erke: wind instrument made of a long cane that ends in a horn, typical of the Puna.

Erquencho: wind instrument, typical of the Puna.

Guagua: Baby, small child. Also "huahua."

Pirca: wall or fence built with rough stones set in clay mortar.

Quena: perhaps the most common wind instrument of the Puna, a legacy of the Incas.

Quéñoa: the most important tree in the quebradas. Now endangered, its wood is highly appreciated.

Quirquincho: armadillo.

Siku: Pre-Columbian wind instrument made of cane, similar to a pan flute.

Suri: Puna rhea.

Tola: very popular shrub, used as fuel due to its combustible quality.

Tulpo: hot meal, typical of the Quebrada de Humahuaca.

Yareta: cushion-shaped plant, very compact, green and striking.

CUYO

Chuña (red-legged seriema): good sized flightless bird, similar to a roadrunner.

Mara: mammal known as Patagonian hare but also present in this region.

Muña-muña: medicinal plant, famous for its aphrodisiac properties.

LITTORAL

Bombilla: metallic straw used for sipping mate, with one end protected by a strainer that filters the liquid from the yerba.

Chamamé: dance and emblematic musical expression of the Littoral Region. Its fundamental instrument is the accordion or verdulera.

Estancia: in the Argentine countryside, a large productive unit, traditionally devoted to stockbreeding and, more recently, to agriculture. Within its boundaries marked with wire fence, it includes housing facilities for the owners and the personnel (steward, overseer

también a la agricultura. Cuenta con habitaciones para los dueños y su personal (mayordomo, capataz y peones), galpones, corrales, quinta, etc.

Gallito de agua: ave muy común en las lagunas argentinas, de color cobrizo y contrastantes alas amarillas (sólo visibles en vuelo).

Guerra Grande o de la Triple Alianza: (1865-1870) Paraguay, que era toda una potencia sudamericana, cayó derrotada ante la Alianza de Brasil, Uruguay y la Argentina.

Lobito de río: es una nutria verdadera (carnívora), muy ágil en el agua. Recuerda a una hembra de lobo marino en miniatura (de ahí su nombre).

Picabuey: pájaro insectívoro que comúnmente caza o come sobre el lomo de mamíferos.

Sapucai: es un grito de euforia lanzado por un músico o un bailarín de chamamé. Originalmente ese grito era usado en el monte, para orientar la búsqueda de una persona extraviada. Fue definido también como "el grito que termina de decir lo que no se puede decir con palabras, sea en alegría, en tristeza, en ternura… Todo lo que puede ser la emoción y el sentimiento termina expresándose en un grito."

CENTRO

Arreo: reunir y movilizar una tropa de ganado.

Conventillo: vivienda antigua y de construcción precaria, con materiales humildes (chapas acanaladas y madera), donde cohabitan distintas familias bajo un mismo techo, compartiendo el baño, la cocina y uno o más patios interiores.

Boleadoras: arma aborigen y gaucha constituida por una, dos o tres piedras redondas cubiertas y atadas por cuero. Se arrojaban para golpear o enredar las patas o el cuello de los animales.

China: mujer del gaucho. Como solían ser mestizas (entre descendientes de españoles o criollos e indios) solían tener los ojos rasgados, como una asiática o "china". Otra acepción afirma que es la voz derivada del quichua, para referirse una sierva o criada.

Cuatrero: ladrón de ganado.

Doma: técnica para domesticar el caballo.

Facón: cuchillo gaucho de unos 20-40 cm, con filo en ambos bordes.

Gringo: extranjero.

Matrero: fugitivo que busca el campo para huir de la justicia.

Payada: creativo canto popular acompañado por una melodía monótona en guitarra, improvisando versos sobre un tema. Entre payadores se puede entablar un duelo de payadas.

Peludo: armadillo cuyo caparazón exhibe pelos largos.

Rancho: vivienda típica de las áreas rurales argentinas, comúnmente, con paredes y techos de barro y paja. El piso, en general, es de tierra.

Tapera: rancho abandonado o en ruinas.

Yerra: operativo de marcado del ganado (en especial, vacunos y equinos) en las estancias.

PATAGONIA

Choiques: ñandú petiso de la Patagonia.

Cuero del agua: ser sobrenatural sobre el cual se tejen leyendas en los lagos patagónicos. Es descrito como una raya gigante.

Nahuelito: otro de los seres fantásticos de los lagos patagónicos. Es la versión argentina de "Nessie", en el escocés lago Loch Ness. En ambos casos, se los describe como plesiosauros. Su presencia nunca fue probada científicamente.

Pudú: uno de los ciervos más chicos del mundo, exclusivo de la Patagonia.

Turbera: frágil y pantanoso ecosistema fueguino formado por musgos.

---

and labourers), as well as storehouses, sheds, pens, orchard, etc.

Gallito de agua (jacana): very common bird in Argentine marshes and lakes, with copper wings and contrasting yellow feathers that are only visible during its flight.

Great War or War of the Triple Alliance: (1865-1870) Paraguay, a full South American power at the time, was defeated by the Alliance formed Brazil, Uruguay and Argentina.

Lobito de río: a true (carnivorous) river otter, very skillful at swimming. It looks like a miniature female seal (literally 'sea wolf', hence its name in Spanish 'river wolf').

Picabuey (cattle tyrant): insectivorous bird that commonly hunts or eats on the back of mammals.

Sapucai: a cry of euphoria let out by a musician or dancer of chamamé. Originally, this call was used to orient the search for a person lost in the wild. It has also been defined as "the cry that ultimately expresses what cannot be articulated, whether joy, sadness, tenderness… Sheer emotion and feeling culminating in a cry."

CENTRO

Arreo: From arrear (v), the act of gathering and driving a herd of cattle.

Conventillo: old and precarious house, built with wood and corrugated iron, where different families live together under the same roof, sharing the bathroom, kitchen and one or more inner patios.

Boleadora: aboriginal weapon consisting of one, two or three round stones covered and tied with leather. They were cast to hit or wrap the legs or neck of animals.

China: Gaucho woman. As they were usually mixed-blood (offsprings of Spaniards or criollos and Indians), they usually had slanted eyes, like an Asian woman, or "china", literally, "Chinese woman". Others find its etymology in the quichua word for servant or maid.

Cuatrero: cattle thief.

Doma: technique to tame horses.

Facón: Double-edged knife used by the gaucho, 20 to 40cm. long.

Gringo: foreigner.

Matrero: fugitive who hides in the countryside to run away from the law.

Payada: Popular creative singing style which consists of improvised rhyming verses on a given subject, accompanied by a monotonous melody played on the guitar. Two payadores can engage in a duel of payadas.

Peludo: Long-haired armadillo.

Rancho: Hut-like dwelling, typical of Argentine rural areas, usually with a bare-ground floor and walls and roof made of clay and straw and.

Tapera: abandoned or rundown rancho.

Yerra: livestock-branding operation (specially, cattle and horses) that takes place in the estancias. Also, branding iron.

PATAGONIA

Choique: Patagonian lesser rhea.

Cuero del agua: supernatural being of the Patagonian lakes. Legend has it as a giant ray.

Nahuelito: another legendary dweller of the Patagonian Lakes. It is the Argentine version of Nessie, the Scotish Loch Ness monster. Both are described as plesiosaurs but neither presence has been scientifically proved.

Pudú: one of the smallest kinds of deer in the world, exclusive of Patagonia.

Turbera: fragile and marshy ecosystem of Tierra del Fuego formed by moss.

Bibliografía

BIBLIOGRAPHY

ACADEMIA ARGENTINA DE LETRAS. 2004. *Diccionario del habla de los argentinos*. Buenos Aires, Espasa, 616 pags.

AMBROSETTI, J. B. 1891. *Primer Viaje a Misiones (1891) Viaje a las Misiones Argentina y Brasileras por el Alto Uruguay*. Posadas, Editorial Universitaria (en prensa). Prólogo e Indices, Ana María Gorosito Kramer.

BERTONATTI, C. & J. CORCUERA. 2000. *Situación Ambiental Argentina, 2000*. Fundación Vida Silvestre Argentina, 440 págs, Buenos Aires.

CHEBEZ, J.C. 2005. *Guía de las Reservas Naturales de la Argentina, Tomo 1, Patagonia Norte*, Ed. Albatros, 192 págs.

CHEBEZ, J.C. 2005. *Guía de las Reservas Naturales de la Argentina, Tomo 2, Patagonia Austral*, Ed. Albatros, 192 págs.

CHEBEZ, J.C. 2005. *Guía de las Reservas Naturales de la Argentina, Tomo 3, Nordeste*, Ed. Albatros, 288 págs.

CHEBEZ, J.C. 2005. *Guía de las Reservas Naturales de la Argentina, Tomo 4, Noroeste*, Ed. Albatros, 256 págs.

CHEBEZ, J.C. 2005. *Guía de las Reservas Naturales de la Argentina, Tomo 5, Centro*, Ed. Albatros, 288 págs.

COLUCCIO, F. & S.B. COLUCCIO. 1991. *Diccionario Folklórico Argentino*, Edit. Plus Ultra, 829 págs.

DE MOUSSY, V.M. 1860-1864. *Description de la Confédération Argentine*. Paris: Firmin Didot frères et Cie.

DEL CARRIL, B. 1978. *El gaucho a través de la iconografía*. Banco de la Provincia de Buenos Aires, Buenos Aires.

D´ORBIGNY, A. 1945. *Viaje a la América Meridional (1835-1847)*. Buenos Aires: Futuro.

GAMBÓN, V. 1904. *A través de las Misiones Guaraníticas*. Buenos Aires, Ángel Estrada y Cía, Editores, 1904.

GOROSITO KRAMER, A.M. 2000. *Misiones jesuíticas. Patrimonio y Nación. Proyecto de Investigación Bianual (1999-2000)*. Secretaría de Investigación y Postgrado, Facultad de Humanidades y Cs. Sociales.

MALASPINA, A. 1938. *Viaje al Río de la Plata en el siglo XVIII, Reedición de los documentos relativos al viaje de las corbetas Descubierta y Atrevida e informes de sus oficiales sobre el Virreinato, extraídas de la obra de Novo y Colson*. Buenos Aires: La Facultad.

ONETTO, C.L. 1999. *San Ignacio Miní. Un testimonio que debe perdurar*. Buenos Aires, Dirección Nacional de Arquitectura.

PIRELLI ARGENTINA S.A. 1990. *La guía Pirelli, Argentina*. Buenos Aires, 360 págs.

ROSA, J.M. 1965. *Historia Argentina (1492-1946), 13 Tomos*, Buenos Aires: Juan C. Granda.

Sarmiento, D. F. 1948. Obras completas. Buenos Aires: Luz del Día, 1948, vols. II-XXIII.

SIERRA, V.D. *1967. Historia de la Argentina (1492-1852), 9 Tomos*, Buenos Aires: Editorial Científica Argentina.

WRIGHT, I.S. & L.M. NEKHOM. 1990. *Diccionario Histórico Argentino*. Emecé Editores, 895 págs.

Portales en Internet:

www.argentinaturistica.com
(*turismo en el país*)

www.arteargentino.com
(*arte y artistas argentinos*)

www.elfolkloreargentino.com
(*folklore argentino*)

www.folkloredelnorte.com.ar
(*folklore del noroeste*)

www.historiadelpais.com.ar
(*historia argentina*)

www.naya.org.ar
(*antropología y folklore argentino y americano*)

www.parquesnacionales.gov.ar
(*parques nacionales argentinos*)

www.poesiaargentina.8k.com
(*poesía argentina*)

www.portalargentino.net/cultlink.htm
(*portales sobre la cultura argentina*)

www.turismo.gov.ar
(*Secretaría de Turismo de la Nación*)

www.vidasilvestre.org.ar
(*naturaleza argentina*)

Ya muchos que conocen mi trabajo, saben que tengo un corazoncito especial por la Patagonia. Pero este corazoncito se ha extendido a muchos otros rincones de la Argentina que trato de acercar en este libro. Viendo todas las fotos de las cinco regiones, encuentro que en cada una de ellas hay diversidad de luces y colores. La región patagónica con sus sombras largas, el norte con sus colores ocres, el litoral con su verde húmedo, los altos contrastes en las cumbres cuyanas y la pampa con sus horizontes sin límite, situaciones que espero haber plasmado en este libro.

Debo confesar que la tecnología me alcanzó y que gran parte de las fotos del libro son digitales. Las imágenes fueron hechas principalmente con cámaras Canon y con Hasselblad. Los cuerpos de las cámaras son Canon Eos 1S Mark II digital, Eos 20D digital, Eos 1D, Hasselblad 503CW y 903SWG. Usé lentes Canon con longitudes focales de 16-35L, 24-70L, 70-200L y 300L y también lentes Hasselblad de f40, f50, f100 y f180. Quiero expresar mi más sincero agradecimiento a mis dos colaboradoras a las que dedico este libro, Ana Vergeli y Luciana Braini, incansables compañeras de trabajo a lo largo de todos estos años. Ana Vergeli, mi mano derecha dotada de tanto sentido común, organización y creatividad en la resolución de los problemas. A Luciana Braini por su excelente trabajo en el diseño de este libro, cuidando incansablemente cada detalle del mismo. A Claudio Bertonatti por aportar con tanta genialidad los textos que acompañan mis fotos, tan expresivos como en mi anterior libro sobre la Patagonia. A Ana Paula Morales por traducir tan cuidadosamente al inglés manteniendo la sensibilidad del autor. A mi amiga Eva Tabaczynska que pone orden a mi desorden en el banco de imágenes. A Miguel Lambré, mi editor asociado, que hace tantos años cree en mi trabajo. A Tom Hummel de Toppan por la impresión del libro, y por lograr que un fotógrafo esté contento de cómo lucen sus fotos. Y a todos los que directa o indirectamente me ayudaron en este nuevo *Argentina*.

Florian von der Fecht

Agradecimientos

ACKNOWLEDGMENTS

Many people who know my work already know that Patagonia holds a special place in my heart. However, this heart has grown to embrace many other corners of Argentina which I have tried to portray in this book. Looking at all the pictures of the five regions, I find that each of them has a diversity of lights and colours. The Patagonian region, with its long shadows, the north with its ochre shades, the littoral region with its humid green, the high contrasts in Cuyo's summits, and the pampa with its endless horizons, I hope I have given expression to them all in this work.

I must confess that technology reached me and that many of the photographs featured are digital. Images were captured mainly with Canon and Hasselblad cameras. The camera bodies are digital Canon Eos 1S Mark II digital, Eos 20D, Eos 1D, Hasselblad 503CW and 903SWG. I used Canon lenses with focal lengths of 16-35L, 24-70L, 70-200L and 300L, as well as Hasselblad lenses of f40, f50, f100 and f180. I want to express my most sincere gratitude to my two collaborators, Ana Vergeli and Luciana Braini, to whom I dedicate this book. They have been my tireless work partners throughout all these years. To Ana Vergeli, my right hand endowed with so great common sense, organizational skills and creativity, among her problem resolution abilities. To Luciana Braini, for her excellent work displayed in the design of this book through indefatigable attention to every little detail of it. To Claudio Bertonatti, for contributing so brilliantly the words that accompany my photographs, texts that are so expressive as in my previous book on Patagonia. To Ana Paula Morales, for rendering so carefully the author's sensitivity into English. To my friend Eva Tabaczynska, who brings order to my disorder at the image bank. To Miguel Lambré, my associate publisher, who has believed in my work for so many years. To Tom Hummel of Toppan, for printing the book and for managing to make a photographer happy about how his pictures look. And to all those who directly or indirectly helped me in the making of this new *Argentina*.

Florian von der Fecht